になる表現 40

UNIT 21 明らかになる	UNIT 31 重要なポイントを強調する
It is evident from ～ that … ～から…ということが明らかになった。	It should be noted that … …について，強調されるべきである。

UNIT 22 結果を述べる	UNIT 32 可能性とその度合いを示す
～ have resulted in … ～は…という結果になった。	It is possible that … …であるという可能性がある。

UNIT 23 原因を述べる	UNIT 33 推測や解釈を示す
The cause of ～ is … ～の原因としては， …ということが考えられる。	It can be presumed that … …と推測される。

UNIT 24 理由・根拠を述べる	UNIT 34 提案する
～ in that … である。というのは，…だからである。	It is suggested that … …と提案される。

UNIT 25 効果を述べる	UNIT 35 結論づける
A enables B to … AはBが…することを可能にする。	～ indicates that … ～は…という結果を示している。

UNIT 26 利点（欠点）を述べる	UNIT 36 示唆を与える
～ has the advantage (disadvantage) that … ～には…という利点（欠点）がある。	It is critical that … …ということが重要だ。

UNIT 27 応用できることを示唆する	UNIT 37 時制によってニュアンスを伝える
A can be applied to B. AはBに応用することができる。	We have come to the conclusion that … …という結論に至った。

UNIT 28 話を展開する	UNIT 38 論文全体の結論を述べる
Taking ～ into account, … ～をふまえると，…である。	It seems natural to conclude that … …という結論に至るのが自然であろう。

UNIT 29 文と文をつなげる	UNIT 39 今後の展望を述べる
In this respect,… この点で，…	A further study of ～ should be conducted. ～に関するさらなる研究が 行われるべきである。

UNIT 30 範囲を限定する	UNIT 40 論文がもつ貢献度を示す
as far as ～ is concerned, … ～について言えば，…である。	It is hoped that ～ will contribute to a better understanding of … ～が，今後の…より良い理解のために役立つことが望まれる。

はじめての英語論文 パターン表現&引ける使える文例集 増補改訂版

Title Page
Copyright or Blank Page
Dedication
Epigraph
Table of Contents
List of Figures
List of Tables
Preface
Acknowledgements
List of Abbreviations
Glossary

Abstract
Introduction
Part
Chapter
Endnote
Bibliography
Appendix

和田朋子 著
工学院大学准教授

Subarusya

『手放せない一冊』とは──はしがきに代えて

　皆さんには『手放せない一冊』がありますか？
　仕事で頼りにする一冊，勉強の場に肌身離さず持ち歩く一冊。こんな一冊，誰にでもあるのではないでしょうか？
　私にも，英語と関わる中で『手放せない一冊』との出会いはありました。ただしそれは唯一の一冊ではなく，英語力の向上や研究者としてのキャリアの変遷とともに，その時々で変わりました。
　英語がまったくわからないまま，小学5年で渡米したばかりの頃に家庭教師の先生が作ってくれた会話例文ノート。帰国後，大学受験を控えて必死に憶えた入試頻出英語例文集。大学入学後，厳しい先生の講義で必ず役に立った言語学の入門書。大学院で修士論文を執筆していたときには常にパソコンの横にあった指導教官の論文。どの一冊も当時の私にはなくてはならないものであり，苦楽をともにする戦友のような存在でした。あまりに使い込んで破れてしまった背表紙をテープで修復しながら，「あぁ…頑張っているな，私」なんて，少なからず自分に自信を持ったものです。
　そして，アカデミック・ライティングを教えるようになった現在，講義の教科書として使用でき，学生に勧めたいと思うような，アカデミック・ライティングの『手放せない一冊』を探そうとしましたが，納得いくものが見つからないことに気づきました。英語論文の頻出表現集のようなものはいくつかあるようですが，それらの表現を「どの場面で」「どのような使い方で」用いたらよいのかを的確かつ簡潔に説明している『一冊』はあまりないようです。
　そのため，私の授業は，私自身の論文執筆経験とその指導経験をもとに作成したハンドアウトを中心にして進められるようになりました。学生にとっては，毎週配布されるこれを一学期分集めると，アカデミック・ライティングの『手放せない一冊』が完成するわけです。
　温めてきたこれらのハンドアウトを，縁あって一冊の本にまとめる機会をいただきました。まとめるにあたっては，表現例や言い換え候補を豊富に収録し，説明等も大幅に加え，「この一冊を参照すれば，生まれて初めての英語論文が書ける」ことを目指しました。
　大学の初回の授業がガイダンスであるように，このはしがきでも，本書の効果的な使い方について「ガイダンス」を行いたいと思います。

■本書の最大の特長

　第2部において，英語論文で頻繁に用いられる表現を40の基礎表現に凝縮しました。これが本書の最大の特長です。

　英語で論文を書くというと，先行研究を概観したり，用語を定義したり，調査のデータを説明したり…といろいろな記述を行わなくてはならない一方で，これらの複雑な内容を英語の構文にあてはめて英文化していくという煩雑な作業をしなければならないというイメージがあるのではないでしょうか。

　しかし，本書は，論文を書くために必要となる表現や構文は40の基礎表現に凝縮できるということを提案し，それらを並べていきさえすれば，論文で言うべき内容がすべて書けてしまうように構成しました。「書かなければならないことが40項目しかない」と考えることができれば，初心者でも臆せずに英語論文に取りかかれるのではないでしょうか。

　また，基本表現は40項目ですが，そのそれぞれに，ほぼ同義の言い換え表現を3つないし4つ挙げました。そして，これらの表現（40の基本表現＋その言い換え表現群）にはさらに，置き換えが可能な単語の候補を可能な限り示しました。書かなければならない項目は最小限の40に絞られているものの，語彙のバリエーションはたっぷりと示されていますから，ワンパターンに陥ることはなく，表現豊かな論文を完成させることができるはずです。もちろん，論文の格調を損なわない，厳選された単語や句のみを収めています。

　一つの表現を切り口にして，そこから分岐する表現のバリエーションの流れに沿っていくだけで，ボキャブラリーの厚みが自然と増していくはずです。

■もう一つの有効活用法

　これまで説明した，「書きたいことを40項目の中から探して英語に直していく」という形が本書の最たる活用法ですが，実はもう一つお勧めしたいテクニックがあります。40項目を助けにして，構成や論の流れを推敲・検証することです。

　もし，執筆途中で議論をうまく展開できなかったり，スムーズに結論に結び付けられなかったりなど，行き詰まってしまうことがありましたら，40項目を一度見返してみてください。

　「そうか，ここは比較と対照を使って説明してみよう」

　「強調をするためには，前提として，こういう説明が必要だったのだな」

などのように，見出しをヒントに論文構成を見直すことができ，議論の流れを

作ることが容易になるはずです。

　40 の基礎表現は論旨の構成要素そのものです。これらがバランスよく満たされていることで論文の説得力は増し，より high quality なものになります。

　実は，40 の基礎表現は，2007 年の本書初版時には 30 でした。

　初版から順調に版を重ね，私の学生をはじめとして多くの方に活用していただきました。賛辞，要望などの「読後感」もたくさんいただきました。

　そのような中で，厳選された 30 表現とはいうものの，あと少し増やせたら，対象層が広がり，より利便性も高まるのではと考えるようになりました。

　厳選 30 だったはずが 40 に増大したとあり，ご叱正もあるかとは思いますが，多くの読者によって本作品が磨かれ，今回の増補改訂となりました。何卒ご理解とご寛容をお願い申し上げます。

■読むだけではなく「使う」本

　本は読むものですが，本書は読むだけでなく「使う」本です。第 1 部でも辞書の使い方を説明していますが，使いたい表現の詳しいニュアンスを辞書で確認したなら，そのメモをぜひ本書の余白にでも残しておきましょう。また，他者の英語論文に，本書の表現と似た表現を見つけたら，それも書き写しておきましょう。たくさん参照し，たくさん書き込みをして，ぜひ本書を皆さんの『手放せない一冊』として長く使ってください。

　最後に，末筆ではありますが，私を研究の世界に導き，研究内容と論文執筆の両方の面から指導をしてくださった恩師・根岸雅史氏（東京外国語大学大学院教授），本書の基となったアカデミック・ライティングの授業をいつも積極的に受講してくれた学生諸君に感謝の気持ちを述べたいと思います。

　さて，それではいよいよ英語論文を始めていきましょう。
Welcome to my Academic Writing class!

　　2013 年秋

　　　　　　　　　　　　　　　　　　　　　　　　　　　　和田　朋子

目　次

第1部　自分の習熟度に合った
ブラッシュアップ法が見つかる
「ピンポイント攻略」10か条
ここを押さえれば，
あなたの論文は見違える！　　　13

Intro　『英語らしい英語』への道　　　14
- ■「日本語の干渉」が多言語習得を阻む ──── 14
- ■初級者は，『英語的な感覚』を磨いていこう ──── 14
- ■中級者は，『明確さ・論理性』に重点を置こう ──── 15
- ■上級者は，『インプット＆アウトプット』あるのみ！ ──── 15

1　主語を明確に！　　　16
- ■主語がはまると文章が落ち着く ──── 16
- ■ぼやけた文は，主語を見直す ──── 17

2　文をアクション型に！　　　19
- ■be動詞ではアクションは伝わらない ──── 19
- ■名詞を動詞的にとらえ直してみよう ──── 20

3　伝えるべき内容を詳細に！　　　22
- ■「我々」って，どこの誰？ ──── 22
- ■どこを詳細にすればわかりやすくなるのか？ ──── 23

4 選ぶ単語をより適切に！　　　　　　　　　　25
- ■単語の意味は１つきりではない ── 25
- ■辞書にない正解もある ── 26

5 主語は「無生物主語」に！　　　　　　　　　28
- ■無生物主語はアクション型英文への第一歩 ── 28
- ■書きたい日本語を発想した段階で，さらに発想をもう一歩進める ── 30
- ■無生物主語，効果はいろいろ ── 30

6 文と文のつながりを論理的に！　　　　　　　32
- ■長めの文は分詞構文でうまくまとめる ── 32
- ■分詞でつなぐと論理が分断されない ── 33
- ■代名詞でつなぐと読み手を惹き付ける ── 34

7 文法への意識を強く！　　　　　　　　　　　35
- ■受動態は行為者と被行為者を一目瞭然にする ── 35
- ■断定を避けると論文的になる ── 36
- ■to 不定詞は命令的，that 節は報告的なニュアンスを生む ── 37

8 辞書をフルに使い，強い味方に！　　　　　　39
- ■和英辞典を正しく使おう ── 39
- ■和英のあとは英和でひき直そう ── 40
- ■英英辞典でニュアンスをつかもう ── 41
- ■言い換えするなら類語辞典 ── 42
- ■単語選びは文脈を見てから ── 43

- ■類語への置き換えで文が輝く ── 44
- ■単語の「含意」に注意を払おう ── 44
- ■「しっくりくる」表現が見つかる連語辞典 ── 45
- ■単語同士の「相性」を確認 ── 47
- ■使い勝手抜群，英和活用辞典 ── 48
- ■連語辞典と英和活用辞典，どっちが便利？ ── 48

9　インプットとアウトプットを増やす　　49
- ■英語をアクティブに使うために　　49

第2部　論文英語で頻用する「関連ボキャブラリー」1000語句　「導入→本論→結論」の流れに沿って，しっかり学ぶ「鉄板表現」40パターン　51

第2部の利用方法 ── 52

- **UNIT 1**　導入を始める ── 54
- **UNIT 2**　過去の研究を概観する ── 58
- **UNIT 3**　研究の問題点を指摘する ── 62
- **UNIT 4**　研究の手薄さを指摘する ── 66
- **UNIT 5**　論文の重要性を述べる ── 69
- **UNIT 6**　主題や目的を述べて導入をしめくくる ── 72
- **UNIT 7**　分類をする ── 75
- **UNIT 8**　述べる ── 78

UNIT 9	説明する ———— 82
UNIT 10	見解が一致していることを示す ———— 86
UNIT 11	見解が一致していないことを示す ———— 89
UNIT 12	疑問を投げかける ———— 92
UNIT 13	用語等を定義し，文脈を明らかにする ———— 96
UNIT 14	順序を示す ———— 100
UNIT 15	比較・対照する ———— 104
UNIT 16	共通点や共通の度合いを示す ———— 108
UNIT 17	例を挙げる ———— 112
UNIT 18	データや根拠を引用する ———— 116
UNIT 19	実験方法や検証の手順を説明する ———— 120
UNIT 20	表やグラフを説明する ———— 124
UNIT 21	明らかになる ———— 128
UNIT 22	結果を述べる ———— 133
UNIT 23	原因を述べる ———— 136
UNIT 24	理由・根拠を述べる ———— 139
UNIT 25	効果を述べる ———— 143
UNIT 26	利点（欠点）を述べる ———— 147
UNIT 27	応用できることを示唆する ———— 151
UNIT 28	話を展開する ———— 154
UNIT 29	文と文をつなげる ———— 157

UNIT 30	範囲を限定する ——— 161
UNIT 31	重要なポイントを強調する ——— 164
UNIT 32	可能性とその度合いを示す ——— 167
UNIT 33	推測や解釈を示す ——— 170
UNIT 34	提案する ——— 173
UNIT 35	結論づける ——— 176
UNIT 36	示唆を与える ——— 180
UNIT 37	時制によってニュアンスを伝える ——— 184
UNIT 38	論文全体の結論を述べる ——— 188
UNIT 39	今後の展望を述べる ——— 191
UNIT 40	論文がもつ貢献度を示す ——— 196

第3部 形式も大事！作成の「基本作法」を見やすくガイド 論文英語ライティング必携資料集

201

I 英語論文の一般的な構成　　202

①表紙 ——— 203

②著作権の明記または白紙 ——— 204

③献辞 ——— 205

④題辞 ——— 206

⑤目次 —— 207

⑥図の一覧 —— 208

⑦表の一覧 —— 208

⑧序文 —— 209

⑨謝辞 —— 210

⑩略語の一覧 —— 211

⑪用語集 —— 211

⑫要約 —— 212

⑬導入 —— 213

⑭部 —— 214

⑮章 —— 215

⑯後註 —— 216

⑰参考文献 —— 217

⑱付録 —— 218

Ⅱ　英語論文の書式設定　　219

■用紙 —— 219

■書体 —— 219

■文字の大きさ —— 219

■行間 —— 219

■マージン —— 219

■インデント —— 219

■章立て —— 220

■手書きはOK？ —— 220

Ⅲ　パンクチュエーションマークの用法　221

- ■ピリオド ——— 221
- ■コンマ ——— 221
- ■コロンとセミコロン ——— 223
- ■コーテーションマーク（シングル・ダブル）——— 223
- ■アポストロフィ ——— 224
- ■丸形カッコ（パーレン）——— 224
- ■ハイフン ——— 225
- ■ダッシュ ——— 225
- ■下線 ——— 225

Ⅳ　参考文献を引用する　226

- ■先行研究の取り扱いには注意を要する ——— 226
- ■2つの引用方法——ParaphrasingとQuoting ——— 226
- ■引用の仕方を誤ると…「盗作」——— 227
- ■MLAとAPA ——— 227
- ■MLA方式による参考文献引用 ——— 228
- ■その他の留意事項 ——— 229
- ■APA方式による参考文献引用（MLA方式との相違点のみ）
  ——— 231
- ■その他の留意事項 ——— 233
- ■参考文献リストの作り方（MLA，APA共通）——— 233
- ■記載時のスタイル（MLA）——— 234
- ■参考文献一覧のサンプル（MLA）——— 237

日本語キーワード索引 ──── 238
英語キーワード索引 ──── 248

コラム目次

パラレリズムを守ろう ──── 50
一文の長さは「20語程度」で ──── 57
スペリング　米語式 vs 英語式 ──── 60
分類方法は研究者の腕の見せ所 ──── 77
英語での議論は Top-Down&4-Step ──── 103
比較・対照の文章の構成パターン ──── 107
コピー&ペーストは禁止　たとえ同じ内容でも… ──── 115
ネット上の情報，どこまで参考文献になりうるか？ ──── 118
I / We / You / People などを主語にしない ──── 123
グラフ　用途に応じて使い分けよう ──── 127
知っていますか？　文頭で用いてはいけない接続詞 ──── 160
先行研究について議論する時は過去形？　現在形？ ──── 187
There is no royal road to Academic Writing! ──── 200

英語論文の基幹となる表現　40 ──── 前見返し
基本構成と書式設定見本 ──── 後見返し

Editor　Yuko Tamaki
Lay out　Takaaki Ikeda

第1部

自分の習熟度に合った
ブラッシュアップ法が見つかる

「ピンポイント攻略」10か条
ここを押さえれば，あなたの論文は見違える！

しっくりこない英語が生まれるメカニズムを，ビフォー＆アフター形式の文例で徹底解説します。Cool な英文と Poor な英文，違いが目の当たりに分かります。初級向きですが，中級やそれ以上を目指す方も必読です！

Intro 『英語らしい英語』への道

　国際的に通用する真の教養を身につけるために，海外で学ぶことを志し，高校や大学の早い時期から日本を飛び出して行く方も増えています。その場合，日常的な会話や読み書きの能力だけでは教養の習得には不十分で，アカデミックな英語力が求められます。

　ことに，論文は伝統的なマナーや書式に則った，読み手がその全容を明瞭に理解できる形に整っている必要があります。「**自分にだけ分かる論文**」「**日本人だけ読める論文**」では意味がありません。

■「日本語の干渉」が多言語習得を阻む

　さて，日本人（日本語母語話者）が英語を学習する際に，壁になっているのはいったい何でしょうか？

　最大の要因は，母語である**日本語の干渉**です。

　外国語である英語を理解するために，私たちはつい母語である日本語に頼ってしまいがちです。これは仕方のないことでありますし，ときには学習を助けてくれることでもあります。

　しかし，ここで忘れてはならないのは，「日本語と英語はまったく別の言語である」ということです。日本語と英語では，背景にある文化や考え方が異なります。そのため，日本語で「〇〇。」と表現する内容が，英語でも必ず"〇〇."と直訳できるわけではないのです。

　この第1部では，このような英語と日本語のギャップを埋めるための手法を，初級～中級～上級と，順を追って説明していきたいと思います。

■初級者は，『英語的な感覚』を磨いていこう

　まずは初級者のステップです。ここでいう初級者とは，「20単語を超える長い文や複雑な構文を使った文を正確に書く自信がない」というような方をイメージしています。英語に気後れしがちな初級者の方は，ま

ずは英語と日本語の根本的な違いを知り,『英語的な感覚』を養うことから始めてみましょう。具体的には,次の4つの手法です。

①主語を明確に！
②文をアクション型に！
③伝えるべき内容を詳細に！
④選ぶ単語をより適切に！

　4つを実践することで,『英語的な感覚』がつかめてくるはずです。
　感覚的なものですから,「英語を書く苦痛が最近減ってきた…」「以前ほど手間取らなくなった」などと実感できれば,もうあなたは中級者です。

■**中級者は,『明確さ・論理性』に重点を置こう**

　中級者となったら,文法や文構造の特徴を理解し,書きたいことをより『明確に,論理的に』表現できるようになることです。
　これもポイントは4つです。初級よりハードルは上がりますが,より明確で論理性をもった論文英語にグレードアップすることができます。

⑤主語は「無生物主語」に！
⑥文と文のつながりを論理的に！
⑦文法への意識を強く！
⑧辞書をフルに使い,強い味方に！

■**上級者は,『インプット＆アウトプット』あるのみ！**

　そうなれば,せっかくですから上級を目指しましょう。そのレベルになりますと,即効薬はあまりなく,次の2つに尽きます。

⑨使える英語表現をストック！（インプット）
⑩とにかく,書いてみる！（アウトプット）

　それでは,レベル別に順を追って,例文などを詳しく見ていきましょう。

1 初級 主語を明確に！

まずは，次の日本語を英語にしてみましょう。

◎例1
「数年前，日本では『エコポイント』が導入されていた」

これを英語に直訳すると，

ⓐ A few years ago, "Eco-point" was implemented in Japan.

文法的には間違いのない文ですが，少しぎこちない印象を受けます。それでは，こちらの文はどうでしょうか。

ⓑ A few years ago, Japanese government had implemented "Eco-Point" system.

■主語がはまると文章が落ち着く

ⓑのほうが，英語として落ち着いた印象を受けます。

違いは主語です。ⓐでは "Eco-point" が主語になっているのに対し，ⓑでは "Japanese government" です。

日本語文に忠実なのはⓐのほうですが，ⓑでは「エコポイント」を導入した行為者である "Japanese government" を主語として明示することで，「誰が」「何を」したのかを明確に表現しています。

このように，書きたい内容を英語にする際に，「**行為者**」が誰であるのかを**意識して，明確にそれを主語として示す**ことで，英語の文が書きやすくなります。
　もう1例を見てみましょう。

◎例2
「これらの制度が国全体の識字率の上昇を促進するだろう」

これを英語に直訳すると，こうなります。

ⓐ　**These policies** will promote an increase in the country's literacy rate.

■ぼやけた文は，主語を見直す

　日本語文に忠実に「これらの制度（These policies）」を主語にしています。しかし，この文では「識字率の上昇」を明確に印象づけることができていません。
　そこで視点を変えて，主語を「国全体の識字率」に変えてみてはいかがでしょう。そうして日本語文を以下のようにとらえ直してみると，日本文は次のように変わります。

◎例2－2
「これらの制度を実施することによって，国全体の識字率は上がることが期待される」

これを英語にすると，このように変わります。

> ⓑ By implementing these policies, **the country's literacy rate** is expected to rise.

「国全体の識字率 (the country's literacy rate)」を主語にすることにより，

［原因］なぜ：　　これらの制度を実施することで
［結果］何が：　　国全体の識字率が
　　　　どうした：上昇することが期待される

という，「なぜ」「何が」「どうした」を明確に表現することができるようになりました。

　英語においては，「誰が／何が」「どうした」をつねに明確に表現することが求められます。そのため，**「誰が／何が」にあたる主語を適切に選ぶこと**は，英語的な感覚で文を書こうとする際に意識すべきポイントです。

POINT
主語の選定は大切。本当にその主語がベストか，元となる日本語文から見直してみよう。

2 初級 文をアクション型に！

　英語的な感覚で文を書くためには，「誰が／何が」の主語の部分だけでなく，「どうした」という述部（動詞）の部分にも意識を向けます。

◎例3　「図2．3は改良プロセスの全貌である」

　この日本語を表現する英語として，ⓐとⓑを比べてみましょう。どちらがより適切でしょうか。

ⓐ　Fig. 2.3 **is** the whole process of improvement.
ⓑ　Fig. 2.3 **illustrates** the whole process of how the product was improved.

■ be 動詞ではアクションは伝わらない

　ⓐでは，動詞として is（be 動詞）が使われています。一方，ⓑでは illustrate という一般動詞が使われています。より英語的な感覚で書かれているのは，一般動詞である illustrate を使ったⓑです。
　be 動詞は何かの「状態」を示す動詞であるため，「描く」というアクション（「どうした」を意味する動的な内容）は伝わりません。英語的な感覚で文を書くためには，ⓑのように**一般動詞を積極的に**用いて，どのような「動き」があったのかを明確に伝えていくことがポイントです。こうすることで，文をアクション型にすることができるのです。
　また，ⓐとⓑでは「改良プロセスの全貌」についても異なった表現が使われています。

> ⓐ Fig. 2.3 is **the whole process of improvement**.
> ⓑ Fig. 2.3 illustrates **the whole process of how the product was improved**.

■名詞を動詞的にとらえ直してみよう

「改良プロセスの全貌」という日本語を直訳すれば，ⓐの"the whole process of improvement"という英語でなんら問題はありません。
　しかし，これを英語的な感覚でとらえ直してみると，「どのように改良されたのかという全体のプロセス」="the whole process of how the product was improved"と考えることができます。
　つまり，文の中で主題になっている「改良」という表現を名詞的にとらえるのではなく，「改良された」と動詞的にとらえることでアクション型の文を作っています。
　このようにアクション型の文を作ることで，「誰が／何が」「どうした」が明確な，英語的な感覚の文を作ることができました。また，文の主題に関係の深い「改良」という語を動詞で表現したことで，より強調することにも成功しています。

> ◎例4
> 「そのような職場環境は，毎日子どもの世話をしながら，仕事もしなくてはならない母親たちにあまり親切ではない」
> ⓐ Such working conditions **are not very beneficent** to many of the mothers who have to go to work and take care of children every day.
> ⓑ Such working conditions **disregard** many of the mothers who have to go to work and take care of children every day.

　例4において「誰が／何が」「どうした」にあたるのは，「そのような

職場環境は」「あまり親切ではない」の各部分です。

ⓐでは直訳して，"Such working conditions **are not very beneficent**" としていますが，ⓑでは "Such working conditions **disregard**" =「そのような職場環境は」「無視している」というように，アクション型で表現をしています。

「あまり親切ではない」という内容を「無視している」と表現してしまうのは少し乱暴に感じるかもしれませんが，あえて disregard という一般動詞を使うことで，ここで話題になっている職場環境（誰）が，いかに女性に対しての配慮が欠けているのか（どうした）ということを，より明瞭に表現することができています。

英語的な感覚で文を書くために，つねにアクション型で文を作ることを意識しましょう。

POINT
be 動詞は極力一般動詞に置き換えて，アクション型の文を作ろう。
ときには大胆な置き換えも試みてみよう。

さらに Step Up！ 英語らしい英語を書くには…

熟語的な表現は避けて，「1語の動詞」で勝負しよう！

たとえば
削減する　cut down　→ reduce
駆除する　get rid of　→ eliminate
廃止する　do away with　→ abolish

3 初級 伝えるべき内容を詳細に！

■「我々」って，どこの誰？

　英語的な感覚で文を書くために3つ目に意識すべきことは，「伝えるべき内容をできるだけ詳細に書く」ということです。例を見てみましょう。

◎例5
「世界がグローバル化するにしたがって，我々はより，英語を話さなくてはならなくなる」

これを英語に直訳すると，こうなります。

ⓐ　As the world becomes increasingly globalized, **we would have to speak English more**.

文法的には間違いのない文ですが，主節 "we would have to speak English more" に英語としてのぎこちなさが残ります。
　それでは，次の文はどうでしょう。

ⓑ　As the world becomes increasingly globalized, the **situations in which people speak English will increase**.

ⓐよりも英語として落ち着いた印象を受けます。なぜでしょうか。
　ⓐの主節 "we would have to speak English more" は「我々はより，英

語を話さなくてはならなくなる」を忠実に英語にしたものです。

　しかし，この文の条件となる「世界がグローバル化するにしたがって」という内容をふまえると，ここでより大切なのは「我々はより，英語を話さなくてはならなくなる」ということよりも，そのような「状況」が増えてくるであろう（＝ the situations in which people speak English will increase）ということです。

　ⓐにぎこちなさが残るのは，「世界のグローバル化」という前提条件に対して，「我々」という対象が誰を意味しているのかが不明確で曖昧だからです。

　英語的な感覚で書かれる文は詳細を求めます。伝えるべき内容をより明確に判断し，可能な限り詳細に表現しなくてはなりません。

■どこを詳細にすればわかりやすくなるのか？

もう1例見てみましょう。

> ◎例6
> 「多くの日本の小学校教員は，英語の教え方を知らないため，混乱している」

これを英語に直訳すると，

> ⓐ　Many elementary school teachers in Japan are confused **because they don't know how to teach English**.

　しかし「英語の教え方を知らない」＝ "they don't know how to teach English" では表現が曖昧です。そこで，「英語の教え方を知らない」とはどういうことなのかを**より具体的に考え**，**詳細に**表現しようとしてみましょう。それはつまり「英語を教える知識や経験がほとんどない」とい

23

うことになります。

> ⓑ Many elementary school teachers in Japan are confused **because they have little knowledge or experience in teaching English**.

　英語的な感覚で文を書くためには，日本語で慣れてしまっている曖昧さや抽象的な表現を，より意識的に描写して，**詳細を突き詰めて表現する**ことです。

　日本語で考えた内容は，ある程度曖昧であっても，日本語が母語であるため違和感なく表現することができます。しかし，外国語である英語で表現する場合，自分が頭の中で考えた日本語的なイメージをそのまま英語にしてしまうと，英語的な感覚にそぐわないぎこちなさが残ります。

　それを避けるためには，伝えるべき内容を突き詰め，詳細に表現することをつねに意識し，習慣化しましょう。

POINT
英語は曖昧さを何より嫌う。言わんとしていることが何なのか，深いところまで突き詰めて，細部まで表現する習慣を！

さらに Step Up !　抽象的な表現を避けるには…

- **notの否定形を使わない** → 代わりに little, few, rarely, hardly がおススメ

- **後置修飾を使う** → 後置修飾を使って「話を一般化」
  たとえば，the fact that … や the situation in which … などの表現に直してみよう

4 選ぶ単語をより適切に！ 〔初級〕

　1から3では，英語で文を組み立てるために意識すべき英語的な感覚について説明しました。英語的な感覚を養うことが大切なのは，単語の使い方についても同じです。

■単語の意味は1つきりではない

◎例7
「彼の研究結果が正しいと世間が認めるまでには，数年かかった」

　この文を英語にするために，「結果」そして「認める」という単語に注目します。まずは「認める」という単語から見てみましょう。
　「認める」を和英辞典で調べてみると，
1) 認識する・承認する
2) 許す・許可する
3) 評価する
という3種類の定義がされているのではないでしょうか。
　1) には admit / acknowledge / confess などが含まれ，目の前にある事実が正しいこと，過失があったことや罪を犯したことを認めること，要求されたことなどが妥当であることを意味します。
　2) には allow / admit などが含まれ，入場・入学・入会などを許可することや許すことを意味します。
　3) には recognize などが含まれ，人や物に一定の評価を与えることやその存在を認めることを意味します。
　つまり，日本語では「認める」という1つの単語で表現できる内容でも，英語では3つの別のニュアンスに分けて考えられていて，それぞれにつ

いて異なる単語を用いなくてはならないということです。
　例7で表現したいのは「世間が一定の評価を与える」という3）のニュアンスですから，recognize を選ぶのが妥当です。日本語では同じ「認める」という単語で表現できるからと言って，admit や allow などを用いては，英語として間違いになります。
　文の中でどのような単語を用いるのかということについても，それぞれの単語の意味の**ニュアンスを正確に理解し**，**英語的な感覚で単語を選ぶ**ことを意識することが大切であることが分かります。

■辞書にない正解もある

　次に「結果」という単語を見てみましょう。和英辞典で調べてみると，訳語として，result, effect, consequence, outcome などが挙げられています。
　それぞれ，どのようなニュアンスをもつ単語なのでしょうか。

* **result** 　　　　実験やテストなどの結果（点数や数値）など，具体的な結果内容を示す
* **effect** 　　　　"cause and effect" の表現などでも知られるとおり，原因との関係で示される結果や効果を示す
* **consequence** 「その後どのようなことが起きるか」というような影響を含めた成り行きを示す
* **outcome** 　　結果として得られた内容；何かを意図的に行った後の成果を示す

　これらの単語のもつ意味の中で，例7で表現したい「結果」をより適切に表現できるのはどの単語でしょうか。
　実は，どれでもありません。
　例7で表現したいのは，具体的な数値や成り行き・成果としての「結果」ではなく，研究が行われる中で「わかったこと」です。これを英語にすると，findings という単語が的確です。つまり，この場合，和英辞典で得られ

る「訳語」では適切な単語は見つけられなかったのです。

　繰り返し述べているとおり，**英語と日本語は異なる言語です**。頭の中で考えた日本語的なイメージをそのまま英語に直訳しようとすると，英語的な感覚とのずれが生じます。表現したい内容を的確に示す単語を見つけられるようになるためには，単語のもつニュアンスを正しく理解し，文脈に合わせて英語的な感覚で使えるようになることが必要です。

　英語的な感覚で単語が固有にもつニュアンスを正しく理解し，使えるようになるためには辞書の活用は必須です。効果的な辞書の使い方についてP 39で説明していますので，そちらを参考にしてください。

POINT
日本語で一括りの言い方で表現される言葉が，英語でもそうとは限らない。
単語のもつ正しいニュアンスをつかみ，ピッタリの訳語を模索しよう。

さらに Step Up！　要注意の単語

「気づく」
- recognize　既に知っていた記憶や知識と一致したとき
- realize　物事の本質や全体像に到達したとき
- notice　変化などを感知したとき

「分かる」
- find out　事実が明らかになる
- understand　知識として理解する

「期待する」
- hope　夢や願いをもって期待する
- expect　予定している出来事が起こることを期待する
- predict　予測していることが真実となることを期待する
- estimate　具体的な数値やデータとして予測して期待する

「思い出す」
- remember　かつての経験などを思い出す
- memorize　一度覚えたことを思い出す

5 中級 主語は「無生物主語」に！

　初級者のテーマは『英語的な感覚』を身につけることでしたが，中級者のテーマは『明確さと論理性』です。中級者とは，「ある程度の長さの英文ライティングには慣れていて，日常的に英語を書くことには苦労しないが，公的な文書や論文を書くことが不安な方」をイメージしています。
　英語の文法や文構造の特徴を理解して，書きたいことをより明確に，そして論理的に表現できるようになることが中級レベルの方の課題です。
　最初のテーマが，表題にもある「無生物主語」です。

■無生物主語はアクション型英文への第一歩

　英語的な感覚で文を書くためには，前述のとおり，主語の明確化と，文をアクション型にすることの2つが非常に重要です。
　アクション型の文を書くために必要不可欠なのが，「無生物主語」です。無生物主語とは文字どおり，生物ではないものを行為の担い手（行為者）としてとらえ，主語とみなしたものをいいます。
　アクション型の文を作るポイントは，**通常では行為者にはなり得ない抽象的な概念を主語として用いる**ことですから，無生物主語が自由に使えるようになればアクション型英文をマスターしたのも同然です。
　しかし難しいのは，自分が今書こうとしている文を，どのように無生物主語が主語になるようなアクション型のパターンに切り換えるのか。すなわち，発想の転換です。

◎例8－1
「調査の結果から，アメリカ人の多くが，21世紀にはアメリカが唯一の巨大国として君臨しつづけると考えていることが明らかになった」

これを英語に直訳すると，

> ⓐ From the result of the survey, it was made clear that the majority of Americans believe that the United States will remain the only superpower in the 21st century.

この文でももちろん間違いではありません。しかし，英訳する前の日本語をとらえる際に，もう少しだけ踏み込んで考えてみましょう。

> ◎例8-2　主語　調査の結果
> が，
> アメリカ人の多くが，21世紀にはアメリカが唯一の巨大国として君臨しつづけると考えている
> ことを，
> 述語　明らかにしている。

このように，「調査の結果」の部分を主語としてとらえ直した訳。

> ⓑ The survey showed that the majority of Americans believe that the United States will remain the only superpower in the 21st century.

こうすれば，アクション型の文にすることが可能になります。

日本語では**例8-1**も**例8-2**も違いがあるようにはあまり見えません。また，英文のⓐとⓑを比べても，伝えている情報は同じです。

しかし，ⓐとⓑのどちらの英文が，文の主題となる原因（＝政策の変更）をより強く主張しているか考えてみると，原因そのものが**「行為者」**としてとらえられているⓑのほうであるといえます。

■書きたい日本語を発想した段階で，さらに発想をもう一歩進める

◎例9 「実験結果から，新方式が効果的であることは明らかである」
ⓐ It is clear from the results of experiments that the new method is effective.
ⓑ The results of experiments clearly explain the effectiveness of the new method.

日本語の文をより忠実に英語にしているのはⓐです。しかし，同じ内容をより「アクション型」で表現しているのはⓑでしょう。上記の日本語からⓑの英文を導く過程では，日本語の読解の時点で次のような思考のステップがふまれています。

「実験結果から，新方式が効果的であることは明らかである」
↓ このままでは，「誰が」「何を」「どうする」がはっきりしない

発想の転換
↓
「実験結果が，新方式が効果的であることを，明らかにしている」
こうすると，「誰が」「何を」「どうする」がはっきりする

このように，日本文の時点で一歩進めて「発想の転換」をすることで，アクション型の，より英語らしい文を作ることができるようになります。

■無生物主語，効果はいろいろ

このように，無生物主語を主語としたアクション型の文を書くための発想の転換を体得することで，**英語らしい英語**を書けるようになります。

さらに，論文中で「私」や「我々」などが主語になる内容の文を書かなければならなくなった場合にも，うまくIやweの使用を避け（論文では一人称の使用は避けます。P123コラム参照）られるようになります。

また，似たような主語や動詞ばかりが続いているときには，発想の転換によって構文を変えると，**文調に変化を加える**ことも可能になります。

無生物主語とよくセットになる動詞と例文を紹介しておきます。

* **show**
  The results show that the hypothesis were confirmed.
* **make**
  Further analyses will make the outcome more understandable.
* **enable**
  The element which enables the chemical reaction is still to be specified.
* **help**
  This might be the factor which helped the president to strengthen his popularity.
* **allow**
  The new technology allows the engine to increase its efficiency by 30 percent.

POINT
無生物主語を積極的に使おう。漠然と説明してしまいがちな抽象度の高い内容も，無生物主語を使えばイキイキ表現できる。

6 　中級　文と文のつながりを論理的に！

　論理的な文章を書くためには，文と文のつながりが重要です。ここでは分詞構文と代名詞を用いたつなぎ方について説明します。

■長めの文は分詞構文でうまくまとめる

◎例10 「一部には，子どもたちが強制的に家族から離され，日夜工場で働かされ，そして健康を害するというケースもある」
ⓐ In some cases, children are forced to part from their families and work in the factories day and night. Gradually, they **lose** their health.
ⓑ In some cases, children are forced to part from their families and work in the factories day and night, gradually **losing** their health.

◎例11 「Rost は Alderson and Lukmani と同じ結論に至り，リーディング能力の差異は1次元的な『一般的な読解力』により説明されると結論づけた」
ⓐ Rost agreed with Alderson and Lukmani and **suggested** that the variance in reading abilities should be attributed to one-dimensional 'general reading comprehension'.
ⓑ Rost agreed with Alderson and Lukmani, **suggesting** that the variance in reading abilities should be attributed to one-dimensional 'general reading comprehension'.

　英文を書き慣れていないと，構文のレパートリーが少ないために，**例10・例11 のⓐのような，途中で分断されてしまう文を書いてしまいが**

ちです。しかし，1つのまとまった内容を論理的に表現するためには，論理の流れがうまくつながるように構文を工夫する必要があります。

例10・例11のⓑでは，分詞の losing や suggesting によって導かれる分詞構文を用いています。このように**分詞**および**分詞構文**を用いることで，ある程度の長さのある，論理性の高い文章を書くことが可能になります。

■**分詞でつなぐと論理が分断されない**

例10のⓐでは，1文目と2文目が別の文になった時点で，2つの文の連続性（ここでは因果関係）が弱くなっています。しかしⓑでは，後者の内容が分詞構文として前者の内容に付帯しているので，「前者の内容が起こった結果，後者の内容が起こった」という因果関係を示すことができます。

例11のⓐでは，文の前半の内容と後半の内容が1文にまとまっているものの，agreed with と suggested が並列の関係になっているために，それぞれが独立した形になっています。

しかしⓑでは suggesting という分詞を用いたことで，同意（agreed with）している内容が suggesting 以下の内容であることが示され，文の前半と後半の論理的なつながりがわかりやすくなっています。

このように英文は，長くなればなるほど，論理的な構成をもたせることで文調に**論文らしさ**が出てきます。以下の**例12**なども参考にして，分詞構文が生み出す**文章の論理性**をあらためて確認してみてください。

◎例12
「当局は外交的交渉による問題解決に失敗し，その手腕の低さを露呈した」
ⓐ　The authority had failed to resolve the conflict by diplomacy, and its inability to manage international relationships were revealed.
ⓑ　The authority had failed to resolve the conflict by diplomacy, revealing its inability to manage international relationships.

■代名詞でつなぐと読み手を惹き付ける

次は代名詞の効用です。例文を見てみましょう。

◎例 13
[1] In order to compete with the increasing demands for PET bottles, can manufacturers made efforts to **develop** can bottles so that can containers, like PET bottles, could be sealed with a cap even after it was opened. [2] With **this development**, cans, once again, came to be used as containers to package tea and carbonated drinks. [3] Presently, **it** accounts for about 40% of the share in the drink-containers market.
（大意）増え続けるペットボトルの需要に対抗するため，缶容器メーカーは，ペットボトルと同じように，開封した後も再度ふたが閉められるような缶容器の開発に注力をした。その結果，缶容器は再び，お茶や炭酸飲料用の容器として使われるようになった。現在では，缶容器のシェアは40％程になっている。

この文で注目したいのは，下線部（"this development" と "it"）です。
"this development" が指す内容は，①で説明されている，ふたが閉められる缶容器の開発です。ここでは①と②の論理的なつながりを明確にするために，this という代名詞と①で使われている develop の派生語である development を用いて，①と②の文の接続を行っています。
また，③では主題である cans としてもよいのですが，あえて代名詞 it で表現することで，②と③の内容のつながりを強調しています。
代名詞を用いることで，**その代名詞の内容が何であるのかに読み手の意識を向けることができます**。その結果，文と文のつながりに**論理性**が生まれ，わかりやすい文章となります。

POINT
文のつなげ方にもバリエーションを！　因果関係に焦点を当てたければ分詞構文，内容のつながり重視ならば代名詞を使おう。

7 　中級　文法への意識を強く！

　英語の文法がもつ役割には，英語を正しく書くためのルールとしての側面だけではなく，「それを使うことによって意味が付与される」というメリットがあります。

　分かりやすい例として時制があります。文の中で過去形が使われていれば，過去の話なのだと読み手は分かりますし，未来形が使われていれば，まだ起きていない未来の可能性の話だときちんと理解されます。

　文法がもつ意味についてはあまり意識されないことが多いですが，書きたいことをより明確に表現するために，文法のもつ意味をよく理解してそれを効果的に用いることは，論文を書く際に必須のプロセスです。

　ここでは，**受動態**と，**不定詞とthat節**について，効果的な使い方を説明したいと思います。

■**受動態は行為者と被行為者を一目瞭然にする**

　受動態は文に「〜される」というニュアンスを付与します。

　受動態では一般動詞を用いたアクション型の文を作ることはできませんが，「誰が（何が）」「何によって」「どうされた」というように，行為者と被行為者の関係が一般動詞を用いた場合と同じように明らかにされます。いわば，「be動詞を用いたアクション型英文」が作られていると考えることができます。具体的に例文で見てみましょう。

◎例14
「このような状況は『人権の侵害』と呼ばれる」
ⓐ **People often call this situation** "the abuse of human rights".
ⓑ **This situation is often called** "the abuse of human rights".

ⓐでは people という生物的な主語を用いていますが，同じ内容をⓑのような無生物主語を用いた受動態で説明すると，**文調がより客観的**になっていることがわかります。
　つまり，ⓑは「このような状況は『人権の侵害』と呼ばれる」という客観的な事実を説明しているのに対して，ⓐの主題は「人々」であり，ここには「このような状況は『人権の侵害』と呼ぶ人もいるが，それが正しいかどうかは判断が分かれる」というようなニュアンスが含まれています。

■断定を避けると論文的になる

◎例 15
「日本は先進国の中でも最も裕福な国の一つである」
ⓐ　Japan **is** one of the richest in the developed countries.
ⓑ　Japan **is considered to be** one of the richest in the developed countries.

　ⓑはⓐを受動態に書き換えたものではありません。ⓐの文の動詞は be 動詞ですから，そのまま受動態に書き換えることはできないのです。また，ⓐの主語は Japan であり，無生物主語ですからわざわざ受動態に書き換えなくてもよい感も受けます。
　しかし，それでもⓐとⓑを比べたときに，ⓑのほうが論文英語としてよりふさわしく感じます。これはやはり，ⓑの文の動詞の部分が is considered to be という受動態の形をとっているからだと考えられます。
　また，ここでは is considered to be という表現を用いたことで，「最も裕福な国の一つである」と断定的に言い切ってしまうのではなく，「最も裕福な国の一つで**あると考えられている**」というように，**多少幅のある表現**が可能になりました。このことが，この文にさらに論文的なニュアンスをもたせていると理解してよいでしょう。

■ to 不定詞は命令的,that 節は報告的なニュアンスを生む

まず,例 16 を見てみましょう。

◎例 16
「言語教育と初等教育の両方について養成を受けた資格ある教師を雇用することが早急に求められている」
ⓐ It is urgent **to hire** qualified teachers who have received training in both the language and primary education.
ⓑ It is urgent **that** qualified teachers who have received training in both the language and primary education are hired.

「早急に求められている」内容を説明するために,ⓐは to 不定詞,ⓑは that 節を用いていますが,何が違うのでしょうか。

to 不定詞は to が示すとおり,**方向性を示すようなニュアンス**をもちます。ⓐでは It is urgent の後には to hire という to 不定詞が使われているので,この文がもつイメージは,

| It is urgent 早急に求められている | → （何が？） | to hire 雇用すること |

となり,It is urgent の部分と hire という動詞が密接に関連していることがわかります。

つまりⓐでは,ある意味「命令」のようなニュアンスで「雇用すること」が「早急に求められている」ことが述べられています。

一方,that 節は節の中で主語と動詞の関係が完結するので,「〜なこと」というように文の中の他の部分からは事象として独立したイメージをもちます。ⓑでは,that 節が用いられていることにより,that 以降の内容は It is urgent の部分からは分離されたようなイメージを受けます。

| It is urgent | ＋ | that qualified teachers … are hired |
| 早急に求められている | （何が？） | …資格ある教師を雇用すること |

ⓑでは，that 節以降の内容は写真のように切り取られた「事象・事柄」として解釈され，そのような「事象・事柄」が「早急に求められている」という**状況の報告のようなニュアンス**が表現されています。

このように，「It is + 形容詞」という同じ文型が使われていても，その後ろに to 不定詞を用いるのか that 節を用いるのかで，表現されるイメージが異なってきます。それぞれがもつイメージを正しく理解し活用して，明確な文を書けるようになりましょう。

POINT

文法には，それを使うことで付与される意味がある。受動態の使用は被虐的，断定を避けるイメージ。to 不定詞は命令や方向性を示す。that 節は状況の切り取りである。

さらに Step Up！　中立的な「PC 表現」とは？

PC 表現とは，politically correct の略で「政治的に正しい表現」，男女や人種の差別を排除した表現をさします。

◎職業名など

議長	△ chairman	→○ chairperson または chair
販売員	△ salesman	→○ sales representative
消防士	△ fireman	→○ fire fighter

「皆，自分が選んだ本を持ってこなくてはならない」

英訳の正解は？
A) Everyone must bring a book of his choice.
B) Everyone must bring a book of their choice.

◎代名詞の性別　主語が everyone や each person のときは，代名詞は his や her ではなく，"their"

8 　中級　辞書をフルに使い，強い味方に！

「ボキャブラリー不足なのか，言いたいことが英語にできない！」
「英英辞書は一応持っているけれど，どんなときに使ったらよいのか」
「気づけば，いつも同じ単語ばかり使っている」
これらはつまり，辞書の正しい使い方の問題です。

■和英辞典を正しく使おう

◎例 17
「子どもたちは，自身の権利を主張する機会を与えられるべきだ」

これを英語にしてみましょう。

子どもたち＝　　　自身の権利＝　　　主張する＝
機会＝　　　　　　与えられる＝　　　べき＝

　子どもたち = children, 自身の権利 = their own rights, 機会 = chances, 与えられる = be given, べき = should までは分かりましたが，「主張する」が思いつきませんでした。どのようにして調べたらよいでしょうか？
　「和英辞典で『主張する』を調べる」と答える方が多いでしょう。しかしこれでは半分しか正解ではありません。
　英語でどう表現したらよいか分からない単語が出てきた場合に，まずは和英辞典で訳語を探すという対処法は誤りではありません。ところが，和英辞典を調べてみると（調べる辞書にもよりますが），insist, assert, claim, maintain …と複数の単語が並んでいるはずです。こんなに多くの

中から，いったいどのように選んだらよいのでしょうか。
　先ほど，「半分しか正解ではない」と言った理由はここにあります。

■和英のあとは英和でひき直そう

　和英辞典をひいていくつか候補の単語が分かったら，付記されている説明を読み，それぞれの単語がどのようなニュアンスで用いられるものなのか理解します。ここまでは当たり前ですが，その先があります。
　候補の単語をもう一度英和辞典で調べ直し，さらに詳しい意味や用法を調べるのです。例 17 の「主張する」の場合，先ほど和英辞典で出てきた，insist, assert, claim, maintain をそれぞれ英和辞典で調べてみます。

* **insist**　　主張する，言い張る，力説［強調］する…
* **assert**　　断言する；(権利などを) 主張する…
* **claim**　　《当然の権利として》要求［請求］する…
* **maintain**　…〈…と〉主張する（assert）…
　　　（研究社『リーダース英和辞典』より一部抜粋；下線は筆者による）

　このように定義されていました。
　この中で「権利」を「主張する」というニュアンスの定義がされているのは，assert, claim, maintain の 3 つですが，権利という語との結びつきが最も強いのは claim であるようです。よって**例 17 のケースでの「主張する」には claim が一番ふさわしい**として，次の文が完成します。

> ◎例 17 の完成文
> 「子どもたちは，自身の権利を主張する機会を与えられるべきだ」
> Children should be given the chance to **claim** their own rights.

　「①英語でどう言っていいのか分からない単語がある→②和英辞典で探す」ではなく，「①英語でどう言っていいのか分からない単語がある→②

和英辞典でいくつか候補を定める→③英和辞典で各々の意味を吟味してから単語を選択する」というのが、和英辞典の正しい使い方です。
　この手順をぜひ習慣づけておきましょう。

■英英辞典でニュアンスをつかもう

　英英辞典は、「意味が分からない単語を調べているのに、その単語の意味を説明している英語がそもそも理解できない」ことから、つい敬遠されがちです。
　たしかに、日本語を母語とする人が未知の単語を調べるときには、英英辞典よりも英和辞典を用いるほうが得策でしょう。しかし、英語の上級者、もしくは目指している場合には、たとえば前出の「主張する」の insist, assert, claim, maintain の日本語の訳語的な定義を比べるよりも、

* **insist**　　to demand that *sth* happens or that sb agrees to do *sth* ...
* **assert**　　to make other people recognize your right or authority to do *sth*, by behaving firmly and confidently ...
* **claim**　　【DEMAND LEGAL RIGHT】to demand or ask for *sth* because you believe it is your legal right to own or to have it
* **maintain**　to keep stating that *sth* is true, even though other people do not agree or do not believe it

　　　　　　（『Oxford 現代英英辞典』より一部抜粋；下線は筆者による）

　これらのような、**英語における意味の説明**を比べたほうが、「権利の主張には claim を用いる」ということがより簡単に理解できるのではないでしょうか。

　このように、英英辞典の利点とは、英語を英語で定義する必要があるため、英和辞典では日本語訳語によって包括的に定義されている単語の詳細なニュアンスが、しっかりと**説明・明文化**されているところです。
　つまり、これらの定義を理解できるレベルの英語力があれば、英和辞

典よりも英英辞典で調べたほうが，より親切でていねいな説明を読むことができるということです。

■言い換えするなら類語辞典

もう1つ，手元に置いておきたいものとして，類語辞典があります。
類語辞典とは，意味概念を手掛かりに語を検索できるようにした**類義語・反義語・関連語**の Thesaurus と呼ばれている辞典です。
たとえば，kind（親切な・優しい）という形容詞を調べた場合，言い換え候補の単語が次のように検索できます。

① caring　　　　　② affectionate　　　③ loving
④ warm　　　　　⑤ considerate　　　⑥ helpful
⑦ thoughtful　　　⑧ obliging　　　　⑨ sympathetic
⑩ understanding

こんなにたくさんの候補が見つかりました。では，類語辞典の便利さを実体験してみましょう。次の**例 18** の例文をごらんください。

◎例 18　「昨日，ある優しい店員に会いました。彼女は私の注文を忍耐強く聞いてくれました。彼女はとても優しかったです。私は彼女の優しい提案にとても感動しました。普段の生活の中で，彼女のような優しい人に出会うことはめったにありません」
I met a very **kind** clerk yesterday. She listened to my orders patiently. She was very **kind** to me. I was very much moved by her **kind** suggestions. It is very rare that I meet such a **kind** person in my daily life.

kind が4回繰り返して使われています。論文中では，短い範囲の中で**同じ単語の繰り返しは2回まで**です。3回以上などほとんどありません。
このような繰り返しを避けようとする際には，類語辞典を用いると比較的簡単に言い換える方法を考えることができます。
余談ですが，ここで問題の焦点となっている kind にはもう1つ「種類」

という意味があります。親切の kind と種類の kind が短い範囲内で重複してしまうことも，やはり避けねばなりません。その場合は種類の kind も，たとえば type や sort などの同義語に適宜置き換えます。

では，例 18 に話を戻しましょう。

◎例 18 の対応策

・I met a very kind clerk yesterday.
　→初出なのでそのまま kind を残す。

・She was very kind to me.
　→直前の文に「私の注文を忍耐強く聞いてくれた」とあるので，she がとても理解のある人物であると解釈し，類語辞典で候補の中から，⑩の understanding（理解のある）を選ぶ。

・I was very much moved by her kind suggestions.
　→私の注文を理解した上での suggestions を修飾する語なので，同義語の候補の中から，⑤の considerate（思慮深い）を選ぶ。

・It is very rare that I meet such a kind person in my daily life.
　→こんなにも「思慮深い」人間に出会うのは稀だ，と解釈できるので，前出の considerate と似たような意味をもつ⑦の thoughtful（思慮深い）を選ぶ。

■単語選びは文脈を見てから

　このように，同一単語の繰り返しを避けるためには，類語辞典に挙げられている同義語の候補の中から，微妙なニュアンスの違いを手掛かりにして，同じ意味を示す単語を探し，新しい単語に置き換えることです。

　しかし，ここで大切なのは，和英辞典の使い方と同じく，類語辞典に挙げられた候補の単語の中から何でもよいから1つを選べばよいのではなく，候補に挙がっている単語の意味・ニュアンスを**英和・英英辞典で調べて，文脈に合うことを確認してから用いる**という基本的な作業を忘れてはいけないということです。

■類語への置き換えで文が輝く

例18の文章中のkindを，選んだ同義語を用いて書き換えてみましょう。

> ◎例18の置き換え後
> I met a very **kind** clerk yesterday. She listened to my orders patiently. She was very **understanding** toward me. I was very much moved by her **considerate** suggestions. It is very rare that I meet such a **thoughtful** person in my daily life.

　kindを同義語に書き換える作業は，kindの繰り返しを避けるために行いました。しかし，あらためて置き換え後の文章を読んでみると，kindが繰り返し使われていないということのみならず，**置き換え前よりも良い文章になった**と言うことができます。

　置き換える前は，すべてがkind（優しい）という包括的なニュアンスの形容詞で表現されていました。「kind＝優しい」ということは分かっているけれども，「どんな意味合いで」「どんな文脈があって」なのかということまでは，単語の選択には反映されていませんでした。

　しかし，kindを同義語に置き換える作業では，置き換えの対象となっているkindには「どのような意味合いが含まれているのか」「どのような文脈が関係しているのか」というニュアンスを吟味し，それも意味の一部として含んでいる単語を選ぶことで，新しい文が完成しました。

　つまり，置き換え後の文章で使われているunderstanding，considerate，thoughtfulのほうが，kindよりもっと具体的に「kind＝優しい」の内容を伝えているのです。

■単語の「含意」に注意を払おう

　これまでの説明から，単語には，大まかな意味を構成する「意味概念」の部分と，詳細な意味を特定する「含意（ニュアンス）」の部分が存在

することがわかりました。どちらも英語を書く際には重要な要素ですが，よりわかりやすく簡潔な文章を書くためには，特に単語の「含意」の部分を効果的に使うことが鍵となります。

◎例19
「研究者は，その現象を注意深く観た」
ⓐ　Researchers **looked at** the phenomenon carefully.　（観た）
ⓑ　Researchers **observed** the phenomenon carefully.　（観察した）
ⓒ　Researchers **analyzed** the phenomenon carefully.　（分析した）

この**例19**のⓑの observe やⓒの analyze は，ⓐの look at と同じ「観た」という意味概念をもつ単語です。しかし，look at を observe に置き換えると，"(to) watch *sb/sth* carefully, especially to learn more about them"（対象物をじっと観ることで，それをよりよく知る）という意味になります。analyze に置き換えると，"(to) examine the nature or structure of sth, especially by separating it into its parts, in order to understand or explain it"（対象物を調査することで，その詳細をよりよく知る）という意味になり，それぞれにニュアンスの違いが明らかになってきます。
（英語の定義は，すべて Oxford 現代英英辞典より一部抜粋）

論文中では，伝えたい内容をより具体的かつ詳細に表現することは不可欠です。文脈によっては kind や look at のような包括的な単語を用いることが適切な場合もありますが，何かの説明や定義を行う際には，類語辞典を効果的に用いて，より具体的なニュアンスを伝えることのできる単語を選択するようにしましょう。

■「しっくりくる」表現が見つかる連語辞典

連語辞典とは，文や句における語の慣用的なつながり方を示す辞典です。連語辞典を用いることで，ある名詞の前にはどのような形容詞を置

くことができるのか，ある動詞の後にはどのような名詞をつなげることができるのかなどを調べることができます。

> ◎例 20
> 「近年，世界はアジア経済のめざましい成長を見てきた」

この文を英語にしようとするときに，

> In recent years, the world has seen a (　?　) growth in Asian economies.

までは考えられました。
　それでは，「『めざましい』成長」を英語にするには，growth の前にどのような形容詞を用いたらよいでしょうか。
　「めざましい」を和英辞典で調べてみると，remarkable, astonishing, dramatic, outstanding, extraordinary などが候補として挙げられています。次のステップとして，これらの候補の中からどれを選ぼうかと考えるべきですが，今回は連語辞典を使ってみましょう。
　growth と併せて用いる形容詞を探しているわけですから，まずは連語辞典で growth の項目を開きます。次に，その中で growth と併記可能とされている形容詞の候補を見ます。

> growth [noun]
> •ADJ.
> considerable, **dramatic**, enormous, exponential, impressive, phenomenal, significant, spectacular, strong, tremendous ...
> 　　　　（『Oxford 連語辞典』より一部抜粋；太字は筆者による）

連語辞典によって候補に挙げられた単語のうち，「めざましい」という意味と一致するものは dramatic です．つまり，growth と併せて用いることができるのは dramatic であり，例 20 では，

> In recent years, the world has seen a dramatic growth in Asian economies.

とするのが，最も適切な英語の使い方であるということになります．

■単語同士の「相性」を確認

　確かに，英語話者の感覚では，「めざましい」という意味の他の単語の候補と growth という単語を並べて用いたときに，

○よく見かける	dramatic growth
△ときどき見かける	remarkable growth
×ほとんど見かけない	astonishing growth
	outstanding growth
	extraordinary growth

というのが直感です．やはり，dramatic growth という語の並びが，英語として最も「しっくりくる」表現なのです．
　このように，連語辞典を用いると，英語母語話者では感覚的に身についているが，英語学習者ではわかりづらい，単語と単語の「相性」を確認することができます．× *many* population や × *large* problem のような，英語母語話者なら決してしないような単語の誤用（large population と big / major problem が正しい）で恥をかかないように，単語の並びに自信がないときは連語辞典で調べるようにしましょう．

■使い勝手抜群，英和活用辞典

　英和活用辞典も，連語辞典と同じように，文や句における語の慣用的なつながり方を示す辞典です。ただし日本語母語話者向けに作られたものであるせいか，連語辞典よりもさらに詳しく，英語の語と語のつながりを説明しているように感じられます。

　例18の文章で，言い換え前は She was very kind to me. であった文が，言い換え後には She was very understanding toward me. となり，to が toward に変わっていたことに気づいたでしょうか。

　understanding（形容詞）を研究社英和活用辞典で調べてみると，understanding の後に置くことができる前置詞の候補としては，about と toward(s) の2つしか挙がっていません。

　つまり，例18の kind をそのまま understanding に書き換えただけの文（She was very understanding to me.）は間違いであるということになります。書き換えの際には，kind を understanding に換えた時点で，その後につながる to も toward に変えなければなりませんでした。

■連語辞典と英和活用辞典，どっちが便利？

　実は，英和活用辞典を調べる前に連語辞典で understanding（形容詞）を調べました。しかし，連語辞典では understanding（形容詞）の後に続く前置詞はおろか，形容詞として使われる understanding の項目自体がありませんでした。やはり，英和活用辞典のほうが連語辞典よりも英語学習者を意識していて，より基本的な連語を掲載しているのではないかと考えられます。

　いずれにせよ，連語辞典も英和活用辞典も，より正確で流暢な英語を書くために，非常に便利なツールです。初めの頃は使うタイミングが難しいかもしれませんが，使い方に慣れて，大いに活用しましょう。

9 上級 インプットとアウトプットを増やす

　ここまで説明した①から⑧をマスターできたら，もう上級者です。さらにライティング力を向上させるためには，この2つです。
⑨使える英語表現をストック！（インプット）
⑩とにかく，書いてみる！（アウトプット）
　たくさんの英語のインプットを得ることで，ライティングをする際に必要になる**英語表現のストックを増やす**ことができます。専門書や論文，また，インターネット等から閲覧することができる TED（Technology Entertainment Design：年に1回，米カリフォルニア州のビーチで開催される世界的な講演会で行われたスピーチを無料で動画配信している）などがインプットとして適切だと思います。
　そのようなインプットを得る中で，気になる表現や参考になりそうな表現はメモにとっておきましょう。そのときには，本章で説明した①〜⑧が参考になることでしょう。
　ストックした表現は，論文を書く際に実際に使ってみましょう。練習を多く重ねることで，初めは使い慣れなかった表現も，だんだんと自分のものになってくるはずです。

■英語をアクティブに使うために

　英語を書くことの上達への第一歩は英語的な感覚を養うことだとお伝えしました。まずは，日本語と英語では根本的なものの見方や考え方が異なり，表現の仕方が違うため，英語的な発想の転換ができるようになることが必要になります。
　発想の転換のヒントになるのが，文法のもつ意味や用法・語法などの英語の特徴です。これらを理解し活用することで，英語的な感覚で，より明確で論理的な文章を書くことができるようになります。

日本人は大学入試や高校入試の時に，いわゆる受験英語を経験します。そのため，文法や単語の知識は十分にもっています。ただし，それらの知識は断片的です。知識として頭の中に入っていても，どのような場面で，どのように使えばよいのかわからないので，使えないのです。

　英語をアクティブに使うために，まずはここで取り上げた①〜⑧の内容をふまえて，知識の整理をしてください。そして次の第2部で，論文を書く際のさまざまな場面や過程において，どのような単語や表現が使われているのか**観察・分析**してください。

　このようにして，どのような文脈でどのような表現が使われているのかを知るほど，英語をアクティブに使えるようになることでしょう。

コラム

パラレリズムを守ろう

　「AとB」や「A，B，またはC」のように，同質のものを列挙するときには，それらを表現する語句の形式を統一しましょう。

「この研究の目的の1つは，航空機の機体に入る亀裂の原因を解明し，それらの亀裂によって起きる事故を防ぐ方法を見つけることです」

× One of the purposes of this study was to investigate the factors that cause fractures in the body of these aircrafts **and** finding the ways to prevent accidents caused by such fractures.

　　and をはさむ to investigate（to 不定詞）と，finding（動名詞）は形式が異なり，パラレル（並列）ではないため読みにくい。

○ One of the purposes of this study was to investigate the factors that cause fractures in the body of these aircrafts **and** to find the ways to prevent accidents caused by such fractures.

　　and をはさむ to investigate と to find はどちらも to 不定詞。パラレルで読みやすい。

第2部

論文英語で頻用する
「関連ボキャブラリー」1000語句

「導入→本論→結論」の流れに沿って,しっかり学ぶ「鉄板表現」40パターン

とにかく初論文を1本仕上げたいという方向けに,40の基本表現と約1,000の言い換えを収録。ユニットを並べ,掲載文例をどんどん借用し,そこにあなたの主張を織り込めば,とにもかくにも「はじめての英語論文」が出来上がります！

第2部の利用方法

論文表現の軸となる
40表現をピックアップ

ランク付け
★　　必ずおさえておきたい常識
★★　　ちょっと細かいテクニック
★★★　上級向けこだわりポイント

つまり，本書においては，
★1つが最優先事項ということです。

表現上のポイントや注意事項です

UNIT 1　導入を始める

There has been a great discussion about …

…については，広く議論がなされてきた。

■論文における用例

There has been a great discussion about the validity of ways in which the revenue from the reconstruction tax is used. In order to appropriate a large budget for post-earthquake reconstruction, the necessary funds were collected by temporarily raising individual and corporate income tax rates. However, experts cast doubts in the government's prospective in how this money will be used.

（大意）
　復興税については，その税収の使われ方の妥当性について広く議論がなされてきた。復興のための大規模な予算措置を講じるため，必要な財源は所得税や法人税を時限的に引き上げることで集められ

ここが大事！

一般論からスタートし，徐々に論点にフォーカスしよう

　論文の導入においては，いきなり本題には入らず，まずは論旨と関連のある**一般論**からスタートします。
　そうして，少しずつ論点を絞り込みながら，徐々に論文の目的を明らかにしてゆき，導入部のしめくくりとして本題つまり当該論文の論旨を示すという流れを作ります。

非常に近い表現

① In the field of ～ , many situations exist where …
　　～の分野においては，…という状況はしばしば存在している。

② Over the past few years, many researchers have shown an interest in …
　　ここ数年間，多くの研究者たちは…に興味を示している。

③ It has been often discussed that …
　　…ということはしばしば議論されている。

④ The concern over ～ has risen.
　　～についての関心が高まっている。

A　見出し語
この表現を実現する際の基幹表現です。
まずはこれを憶え，理解し，使いこなしましょう。

B　非常に近い表現
Aの「見出し語」とほぼ同じ意味合いの表現を紹介しています。

Introduction（導入）→ Body（本論）→ Conclusion（結論）の流れと，その中での当該ユニットの位置づけを図示しています。

■ Aの「見出し語」の用法など

> 動詞における他動詞・自動詞と，名詞における可算 (C)・不可算 (U) を併記しています。ただし，これらはあくまでも本書の，それぞれのユニット内における用法についてのみの区分です。

バリエーション&ニュアンス

■ **There has been a great discussions about …**
・広い話題から入る際には，There + be 動詞の形を使うと，その話題が一般的であることを示すことができる。

① **In the field of ~, many situations exist where …**

② **Over the past few years, many researchers have shown an interest in …**
・①の in the field of ~ や ②の over the past few years などは，一般的な話題を提示する際に便利な表現である。

④ **The concern over ~ has risen.**
・concern の前に social, public などの形容詞を用いてもよい。
・文脈によっては，現在完了形よりも現在完了進行形を用いたほうが適切な場合もある。

言い換え候補単語帳

☐	great discussion [句] 広範な議論	much discussion
		increasing discussion
		great concern
		great interest
		great attention
☐	field [名詞／C] 分野	area
		study
☐	situation [名詞／C] 状況	condition
		setting
☐	exist [動詞／自] 存在する	prevail / can be found
		occur / can be the case
☐	show an interest [句] 興味を示す	pay attention
		show concern
		show an enthusiasm
		show a passion
☐	disc... [動...	talk about / debate
☐	conc... [句]	
☐	rise... [動...	

前ページBで示した①②③…の表現の用法やニュアンスなど

1～3ページ目で出た
A　見出し語
B　非常に近い表現
の中に出てくる英単語の
「さらなる言い換え表現」
を可能な限り収録

注意

● 「言い換え候補」は，論文で使用される**頻度が高い順**に列挙してあります。
● 初心者の使いやすさを最優先とするため，あえて**簡略化した訳**にまとめています。表現を決定する前には必ず辞書で細かいニュアンスを確認しましょう。
☆ 辞書で確認した結果などは，チェックボックスを活用したり，単語の横の余白にメモするなどして残しましょう！

UNIT 1 導入を始める

There has been a great discussion about …

…については，広く議論がなされてきた。

■論文における用例

There has been a great discussion about the validity of ways in which the revenue from the reconstruction tax is used. In order to appropriate a large budget for post-earthquake reconstruction, the necessary funds were collected by temporarily raising individual and corporate income tax rates. However, experts cast doubts in the government's prospective in how this money will be used.

（大意）
　復興税については，その税収の使われ方の妥当性について広く議論がなされてきた。復興のための大規模な予算措置を講じるため，必要な財源は所得税や法人税を時限的に引き上げることで集められた。しかし，専門家は，どのようにその財源を復興に充てていくのかという政府の見通しに，疑問をもっている。

☞ ここが大事！

一般論からスタートし，徐々に論点にフォーカスしよう

　論文の導入においては，いきなり本題には入らず，まずは論旨と関連のある**一般論**からスタートします。

　そうして，少しずつ論点を絞り込みながら，徐々に論文の目的を明らかにしてゆき，導入部のしめくくりとして本題つまり当該論文の論旨を示すという流れを作ります。

非常に近い表現

① In the field of 〜 , many situations exist where …
　〜の分野においては，…という状況はしばしば存在している。

② Over the past few years, many researchers have shown an interest in …
　ここ数年間，多くの研究者たちは…に興味を示している。

③ It has been often discussed that …
　…ということはしばしば議論されている。

④ The concern over 〜 has risen.
　〜についての関心が高まっている。

バリエーション&ニュアンス

■ **There has been a great discussion about …**
・広い話題から入る際には，There ＋ be 動詞の形を使うと，その話題が一般的であることを示すことができる．

① **In the field of ～ , many situations exist where …**

② **Over the past few years, many researchers have shown an interest in …**
・①の in the field of ～や②の over the past few years などは，一般的な話題を提示する際に便利な表現である．

④ **The concern over ～ has risen.**
・concern の前に social, public などの形容詞を用いてもよい．
・文脈によっては，現在完了形よりも**現在完了進行形**を用いたほうが適切な場合もある．

言い換え候補単語帳

☐	**great discussion** [句] 広範な議論	much discussion increasing discussion great concern great interest great attention	
☐	**field** [名詞／C] 分野	area study	
☐	**situation** [名詞／C] 状況	condition setting	
☐	**exist** [動詞／自] 存在する	prevail occur	can be found can be the case

☐	**show an interest** ［句］興味を示す	pay attention	
		show concern	
		show an enthusiasm	
		show a passion	
☐	**discuss** ［動詞／他］議論する	talk about	debate
		examine	explore
		study	deal with
		point out	mention
☐	**concern over ～** ［句］～への関心	interest in	
		question about	
		consideration into	
☐	**rise** ［動詞／自］高まる	arise	grow
		heighten	increase
		intensify	spread

> **コラム**
>
> ### 一文の長さは「20語程度」で
>
> 　英語的な感覚で文を書くためには，「伝えるべき内容を詳細に書く」ことを意識する必要があることを第1部で述べました。詳細に述べると，必然的に文の長さも長くなります。また，論文のように論理的に文章を展開する必要がある場面では，「AだからB，だからC，そしてD」というように，いろいろな要素を一文に詰め込みがちです。
>
> 　いろいろな要素が詰め込まれて長くなった文は，読み手にとっては大きな負担です。文を読むとき，読み手はまず主語と動詞を把握し，文中に含まれる語句が他の語句とどのような文法的つながりをもつのかを考えながら，短期記憶のなかで理解を組み立てていきます。
>
> 　この短期記憶に負担にならない文の長さは20単語程度と言われています。論理性を保ちながら一文の長さを抑えるためには，
> **①文の構造や表現を工夫して，効率的に文を組み立てること**
> **②文と文を効果的につなげること**
> の二点がポイントになるでしょう。
>
> 　論理的でわかりやすい文章を展開するために，第2部に収録されているさまざまな表現を活用して，効果的かつ効率的に文を書くように心がけましょう。

UNIT 2 過去の研究を概観する

Some studies have claimed that …

一部の研究では…というようなことが言われてきた。

■論文における用例

In supporting the unitary approach, **some studies have claimed that** it is not possible to differentiate between reading processes and actual test-taking processes. One such example is Alderson and Lukmani (1989) in which a reading test was given to 40 graduate students and their test taking processes were closely recorded.

(大意)
　「一次元的アプローチ」を支持する中で，一部の研究は，リーディングプロセスと実際のテスト解答プロセスを分離して分析することは不可能だと主張している。
　その一例が40人の大学院生に読解テストを受けさせ，その解答プロセスを詳しく記録したAldersonとLukmani（1989）の研究である。

ここが大事！

それまでの研究を振り返ることで，論文の目的がハッキリする

　同じ分野で過去にどのような研究がされてきたのかを，論文の冒頭で振り返ることは，その論文の目的をハッキリさせることにつながります。

　具体的な方法としては，ある事象に対する**意見や立場をいくつかの分類に分け**，それぞれが主張している内容を，実際の論文を引用しながら説明してゆきます。その中で，自分がこれから始める論文の立ち位置を確認することとなります。

非常に近い表現

① Several studies have proved that …
　…ということは，いくつかの研究が明らかにしている。

② ～ have established a position that …
　～は…という立場を明確にした。

③ ～ take the approach that …
　～は…という立場をとっている。

④ ～ argue that …
　～は…ということを主張している。

バリエーション&ニュアンス

■ **Some studies have claimed that …**
　・ここでの some は不特定多数，すなわち「一部の」という意味をもち，「いくつかの」という数量的なニュアンスとは異なる。

② **～ have established a position that …**
　・position の前に strong, powerful, prominent, influential などの形容詞を加えてもよい。

③ **～ take the approach that …**

④ **～ argue that …**
　・②～④のいずれにおいても，主語（～）の部分には Alderson and Lukmani (1989) のような具体的な研究事例を入れてもよいし，some studies や some researchers などの表現を用いてもよい。

> **コラム**
>
> **スペリング　米語式 vs 英語式**
> 　英単語の中には，center / centre のように，米語（American English）と英語（British English）で綴りが異なってくるものがあります。
> 　違いのパターンとしては，語尾が米英で –or / -our, -er / -re のように異なるもの，また -ing 形にしたときに traveling / travelling のようになるもの等があります。
> 　特にどちらが良いということはないので，論文の提出先や自分の文体を総合的に考慮して選びましょう。ただし，論文の中で一度どちらかに決めたら，それを一貫して用います。

言い換え候補単語帳

☐	**some studies** ［句］一部の研究	several studies
		a few papers
		some researchers（研究者たち）
☐	**claim** ［動詞／他］主張する	suggest
		assert
		maintain
		argue
		contend
		allege
☐	**prove** ［動詞／他］証明する	demonstrate
		show
		find
		confirm
		verify
		validate
☐	**establish** ［動詞／他］確立する	initiate
		build
		show
		confirm
		exhibit
☐	**position** ［名詞／C］立場	attitude
		claim
		approach
		standpoint
☐	**take the approach** ［句］立場をとる	hold the claim
		make the claim
☐	**approach** ［名詞／C］立場	position
		attitude
		standpoint
☐	**argue** ［動詞／他・自］主張する	suggest
		assert
		maintain
		insist
		contend
		allege

UNIT 3 研究の問題点を指摘する

The problem seems to lie in the fact that …

問題点は…という点にある。

■論文における用例

The problem seems to lie in the fact that the model suggested by Mumby was somewhat subjective and arbitrary. Therefore, it seems natural to seek an innovative model that is obtained with a more scientific and objective approach.

（大意）
　問題は，Mumby が提唱したモデルが主観的かつ恣意的であることに起因するようだ。
　そのため，より科学的かつ客観的な手法で探査された漸進的なモデルが求められているのは自然な流れだろう。

ここが大事！

先行研究の問題点をピックアップし，研究動機につなげよう

　研究の動機，すなわち論文の目的は導入部で明らかにしなければなりません。そのための手法の一つとして，それまでの研究における問題点を指摘するという方法があります。

　これを行うことにより，自身の問題意識がどのあたりにあるのかを読み手に示すことができます。

　先行研究の不十分な箇所が，自身の研究の出発点になっているということを説明しましょう。

非常に近い表現

① ～ has not escaped criticisms.
　～は批判を免れていない。

② What seems to be lacking is ～
　～が欠落しているように感じられる。

③ ～ still remains controversial.
　～はまだ結論を得ていない。

④ Little agreement has been reached concerning ～
　～については，ほとんど意見の一致が見られていない。

🔑 バリエーション&ニュアンス

■ The problem seems to lie in the fact that …

・問題点が「lie＝横たわっている」という表現は日本語ではなじみが薄いかもしれない。しかしこれは**非常に英語らしい表現**であり，論文ではよく見られるものである。

① ～ has not escaped criticisms.

・criticisms の内容を「～というような批判」と詳しく述べたい場合には，～ has not escaped criticisms that … のように，criticisms の後に that 節を続ける。

② What seems to be lacking is ～

・同じように，研究内容について欠落していることを指摘するためには，次のような表現を用いることもできる。

＊The considerations regarding effects from environmental factors seem to be lacking.
訳）環境要因に帰因する効果に関する配慮が欠けているようだ。

③ ～ still remains controversial.

・remain の代わりに be 動詞でもよいが，remain のほうが，**まだ結論を得ていないというニュアンス**をより強調できる。

④ Little agreement has been reached concerning ～

・concerning のほかに about，among，on などの前置詞を文脈に合わせて用いてもよい。

🔊 言い換え候補単語帳

☐	**problem** ［名詞／C］問題（点）	difficulty
		trouble
		complication
		obstacle
		predicament
☐	**lie** ［動詞／自］存在する	exist
		be present
☐	**criticism** ［名詞／C］批判	attack
		excoriation
☐	**be lacking** ［句］足りない	be absent
☐	**controversial** ［形容詞］議論の余地がある	unsolved
		unanswered
		unsettled
		debatable
		arguable
		at issue
☐	**reach** ［動詞／他］ （意見の一致に）至る	see

UNIT 4 研究の手薄さを指摘する

Little study has been done to …

…については，あまり研究がされていない。

■論文における用例

Although many researchers have maintained continuous interests in the process of how test takers reach their answers in their test taking processes, **little study has been done to** actually explore those processes using scientific or statistical methods.

（大意）
　多くの研究者が，テスト受験者はテストを受ける中でどのように解答にたどりつくのかということに興味をもっているものの，それを科学的および数量統計的に調査した研究は，今のところほとんどされていない。

ここが大事！

先行研究の不足点は，little や few で訴えよう

　過去の研究の問題点としてよく挙げられるものに，「これまでにあまり（ほとんど）研究がされていない」という指摘があります。
　このことを表現する際に役立つのが，たとえば little, few, no といった，**否定的なニュアンスをもつ形容詞**です。
　このあとの用例などを参考に，先行研究の少ない状況を指摘し，自分の論文の意義をアピールしてみましょう。

非常に近い表現

① There has been little study done concerning …
　…については，研究がされていない。

② … has been little investigated.
　…については，まだほとんど研究がされていない。

③ Few studies have attempted to …
　…のような試みは，ほとんどの研究でされていない。

④ Little attention has been given to …
　…には，ほとんど注意が向けられていない。

バリエーション&ニュアンス

■ Little study has been done to …

・little の代わりに no を用いてもよいが，no は「そのような研究は全くない」という**強いニュアンスをもつ**ので，注意して使用。

① There has been little study done concerning …

・上記の Little study has been… と同じ意味であるが，別の言い方。study に代用できる単語は単語帳参照。

③ Few studies have attempted to …

・few studies の代わりに no study，little study を用いることも可能であるが，attempt という単語と一緒に用いられるのは，ニュアンス上 few studies が多い。

④ Little attention has been given to …

・little の代わりに no，give の代わりに pay を用いてもよい。

言い換え候補単語帳

☐	**study** [名詞／U・C] 研究	research	
☐	**do** [動詞／他]（研究を）する	conduct	publish
		undertake	complete
		comprise	make
		pursue	
☐	**investigate** [動詞／他] 調べる	research	enquire
		explore	
☐	**attempt** [動詞／他] 試みる	endeavor	
		undertake	

UNIT 5 論文の重要性を述べる

It is important that … is discussed.

… が議論されることは，重要である。

■論文における用例

Little attention has been given to the poor conditions of child labor existent in many of the developing countries. Therefore, **it is important that** how these conditions can be made to improve through a thorough economic reform in those countries **is** urgently **discussed**.

(大意)
　発展途上国における劣悪な子どもの労働環境については，十分な関心がもたれているとはいえない。
　そのため，これら途上国における抜本的な経済改革を通して，この状況がどのように改善されるべきなのかという議論を早急に行うことは重要である。

ここが大事!

論文の重要性は強い口調でアピールしよう

　論文の重要性（significance）を主張して，読み手を引き込むことは非常に大切です。

　重要性の裏付けとして，すでに述べた過去の研究について，「問題点の指摘（UNIT3）」や「手薄さの指摘（UNIT4）」などを行ってゆくことになりますが，いずれの場合も It is important that …や，… must be discussed のような，かなり強いと思われる表現でご自分の論文の正当性を訴えてＯＫです。

非常に近い表現

① It is important to …
　…することは重要である。

② In order to ～, it is important that …
　～するためには，…は重要である。

③ ～ must be discussed.
　～は議論されるべきである。

④ The discussion of ～ is a necessity.
　～の議論は重要事項である。

🔄 バリエーション&ニュアンス

■ It is important that … is discussed.

- discuss の代わりに examine, demonstrate, investigate, seek など（単語帳も参照）の動詞を論旨に合わせて置き換えられる。
- It is important that … is urgently discussed. や, is closely discussed. のように，副詞を用いて「**早急に…について議論する**」や，「**特に…について議論する**」のようなニュアンスを加えることができる。closely の言い換えは下の単語帳を参照のこと。

① It is important to …

- important の代わりに necessary, essential など（単語帳参照）。

② In order to ～, it is important that …

- ①の表現に，その目的の説明を付加したいときに用いる。

④ The discussion of ～ is a necessity.

- 形容詞の necessary の名詞形が necessity である。あえて ～ is necessity. と**名詞形を用いる**ことで，その重要度を強調できる。

🔊 言い換え候補単語帳

☐	**important** ［形容詞］重要な	necessary	essential
		urgent	inevitable
		vital	indispensable
☐	**discuss** ［動詞／他］議論する	talk about	debate
		examine	explore
		study	point out
		mention	analyze
		express	
☐	**closely** ［副詞］詳細に	in detail	carefully
		exhaustively	thoroughly

UNIT 6 主題や目的を述べて導入をしめくくる

The present study was undertaken in order to …

この研究の目的は…

■論文における用例

The present study was undertaken in order to seek a way of how reading construct could be described. The study puts its focus on reading sections from two standardized English proficiency tests and attempts to identify how the test items can be categorized from the perspective of what sort of reading process they elicit.

（大意）
　この研究は，リーディング能力の構成概念はどのような要因で説明されうるのかを探索するために行われた。
　論文中では，2つの標準化された英語の検定テスト内のリーディングセクションに焦点を当て，各小問がどのような因子のカテゴリーに分類されるのかを，それがどのような読解力を引き出しているのかによって判断する試みを行った。

ここが大事！

導入部は，1〜2行にまとめた主題の要約でしめくくる

　導入部のしめくくりには，論文の主題（論旨：Thesis Statement）を提示します。

　コツは，**簡潔に分かりやすくまとめること**です。はじめに1〜2行（15〜20words）程度で「この研究の目的は〇〇である」と概要をまとめ，そのあとに1〜2文でやや詳しく説明をします。

　詳しく説明しようとすればするほど，似たような内容を繰り返し書くこととなります。そうならないためには，言葉のバラエティを増やして，**同じ表現を重ねないように配慮する**ことが大切です。

非常に近い表現

① The present study discusses …
　　この論文では…を議論する。

② In this paper, … will be discussed.
　　この論文では…が調査されている。

③ The present study puts its focus on … 〔点線部参照〕
　　この論文では特に…に焦点が当てられる。

④ The main objective of this thesis is …
　　この論文の主な目的は…である。

バリエーション&ニュアンス

■ The present study was undertaken in order to …
・the present study の代わりに this paper, this thesis などの表現を用いてもよい。

③ The present study puts its focus on …
・the present study の代わりに this paper, this study などの表現も可。

言い換え候補単語帳

☐	**study** [名詞／U・C] 研究	paper	
		thesis	
☐	**undertake** [動詞／他] 実施する	do	conduct
		administer	carry out
		direct	
☐	**discuss** [動詞／他] 議論する	talk about	debate
		examine	explore
		investigate	demonstrate
		study	seek
		deal with	point out
		mention	
☐	**put one's focus on ～** [句] 注目する	focus	emphasize
		concentrate on	zoom into
		pay attention to	
☐	**objective** [名詞／C] 目的	aim	purpose
		focus	goal
		target	
☐	**thesis** [名詞／C] 研究論文	paper	
		study	

UNIT 7 分類をする ★★

~ can be classified into …

~は…のように分類される。

■論文における用例

The standardized methods in assessing library holdings **can be classified into** two categories according to the characteristics of assessment criteria. The first category is called quantitative measurement because the evaluation is mainly determined by the size of library holdings.

（大意）
　図書館の蔵書評価の方法は，評価法の特性によって，大きく2つの分類に分けることができる。1つめの分類は，主に蔵書の「量」によって評価がなされるため，「量的評価」と呼ばれている。

ここが大事！

議論をピンぼけにしないため，的確に「分類」しよう

　導入部分でも，過去の研究の問題点指摘（UNIT2, 3）は行いましたが，あくまでも研究の目的を示すためということで，軽い概観にとどめていました。しかし本論においては，自分の主張となる議論に入る前にもう一度**先行研究を分類整理し，議論の焦点を絞って**おく必要があります。分類の際には，個々の研究を一つずつ取り上げるのではなく，本論で扱う議論に沿うよう，網羅的に取り上げて分類すると，そのあとの論の流れが自然なものになります。

非常に近い表現

① There are two kinds of …
　2種類の … がある。

② The two kinds of … are 〜
　…の2つの種類は〜である。

③ 〜 is classified as … because —

④ 〜 belongs to … in that —
　〜は — という理由から … として分類される。

言い換え候補単語帳

☐	**classify** ［動詞／他・自］分類する	group	categorize
		organize	
☐	**kind** ［名詞／C］種類	group	type
		sort	genre
		style	
☐	**belong to** ［句］属する	be included in	be classified in
		be categorized in	

バリエーション&ニュアンス

■ ～ can be classified into …
・分類が明らかな場合には can be ではなく be 動詞を用いる。

① There are two kinds of …
・two の部分は文脈に合わせて数字を変える。

② The two kinds of … are ～
＊The two kinds of concepts considered in the discussion are that by Adams(2006) and Johnson(2008).

訳）議論の中で検討されている2種類の概念は Adams（2006）のものと Johnson（2008）のものである。

③ ～ is classified as … because ―

④ ～ belongs to … in that ―
・③④ともに，ある事例がどのグループに分類されるのかを，理由を述べながら示すときに用いる表現。

コラム

分類方法は研究者の腕の見せ所

　既に研究分野で確立している分類の説明ではなく，先行研究を概観したり，自身が研究した内容を分類しながら定義したりする場合，いかに「わかりやすく」「スマートな」分類方法を思いつくことができるかというのは，研究者の腕の見せ所の一つです。

　だれもが納得できて，しかも「鋭い！」と思わせる分類の観点を見つけるためには，自分が得た研究結果をよく吟味し，その内容をいろいろな角度から見直すことが大事です。これができたら，研究はほぼ成功と言ってよいでしょう。

UNIT 8 述べる

$$\sim \begin{Bmatrix} \text{claims} \\ \text{notes} \\ \text{points out} \\ \text{mentions} \\ \text{says} \end{Bmatrix} \text{that}\cdots$$

〜は…と述べている。

■論文における用例

Goodman (1982) **claims that** the goal of reading is the construction of meaning that requires interactive use of grapho-phonic, syntactic and semantic cues. Many researchers agree that the nature of reading processes is best understood using the model suggested in this research.

（大意）
　Goodman (1982) は,「読むこと」の目標とは，書字・音声的，統語的そして意味的な手がかりを相互作用的に使うことで可能となる意味の構築だと主張している。多くの研究者たちは，このGoodmanのモデルが，読解プロセスの特徴を最も分かりやすく説明していると考えている。

ここが大事！

「主張する」「述べる」「指摘する」…微妙な違いに敏感になろう

　先行研究について議論するにあたっては，過去に著名な研究者たちが何と述べているのかをまとめることは必須の作業です。

　その際，日本語では「誰々が○○と述べている」と一律に表現してしまいがちですが，英語ではその述べている内容によって，claim，point out，mention など，さまざまに使い分けることになります。

　それぞれの表現のもつ意味，読み手に与えるニュアンスなどは，用語の選択の際にマメに確認して，**的確な表現を模索**して使いましょう。

非常に近い表現

① ～ points out that …
　～は…と指摘している。

② ～ notes that …
　～は…と特筆している。

③ ～ mentions that …
　～は…と言及している。

④ ～ says that …
　～は…と言っている。

🔍 バリエーション&ニュアンス

■ **~ claims that …**
- あることが「正しい」「真実である」と述べたいときに用いる。
- 論文中で示された研究結果をもとに，モデルや理論を述べているときに用いる。そのため，論文の**論旨に関わるポイント**について述べる際に使われることが多い。例文では，Goodman（1982）の論文の中で提案されているモデルを通して，Goodman が主張したことについてまとめている。

① **~ points out that …**
- 論文中の議論について，主となる内容について述べるというよりも，補足的（周辺的）な内容や，主となる内容の一部について言及する場合に使う。
- 「指摘している」というニュアンスをもつため，既に述べられている内容に対して**訂正や反論**をするために使われることが多い。

＊ A difficulty was soon **pointed out** in a model suggested in Johnson (2009)
訳）Johnson (2009) が提案したモデルにはすぐに欠陥が指摘された。

② **~ notes that …**
- 論文中の議論について，補足的（周辺的）な内容や，主となる内容の一部について言及する場合に使われるという点では point out と似ているが，point out のようなネガティブなニュアンスは少ない。既に述べられている内容に対して，その**一部を強調したり，情報を追加したり**するために使われることが多い。

* Austin (1986) **notes that** the breakthrough in his finding was the fact that it disproved what had been thought as an undeniable fact.
訳）Austin（1986）は，研究が成功した点は，今まで否定しようのない事実と思われていたことを覆したことだと述べている。

③ ~ **mentions that** …

④ ~ **says that** …

・③④ともに，that 以降で述べられる内容について，~（という人物）が**触れている**ということを示す。mention や say では，claim や point out，note などで感じられる強いニュアンスはほとんど表現されない。「~が…と言った」という**「事実」**を伝えたいときに，この表現を用いる。

言い換え候補単語帳

☐	**claim** ［動詞／他］主張する	assert
		maintain
		affirm
		insist
☐	**point out** ［熟］指摘する	show
		indicate
		draw attention to
☐	**note** ［動詞／他］特筆する	refer to
		mark
☐	**mention** ［動詞／他］言及する	say
		state
		express

UNIT 9 説明する

$$\sim \begin{Bmatrix} \text{explains} \\ \text{clarifies} \\ \text{defines} \\ \text{describes} \end{Bmatrix} \text{that} \cdots$$

〜は…と説明している。

■論文における用例

Nagasaka (2008) **explains that** the aim of implementing fair-trade system is twofold. First, it aims to improve the current trade system which gives more benefits to developed countries than to developing countries. By doing so, it will bring improvements to living conditions of people in the developing countries and will allow them to be self-supportive.

（大意）
　Nagasaka（2008）は，フェアトレード制度を導入するのには二つの目的があると説明している。一つは，発展途上国よりも先進国に有利である現在の貿易体制を改善するということだ。そのことにより，途上国の人々の経済状況が改善され，経済的に自立した生活を送ることが可能になるのである。

ここが大事！

「説明する」に該当する英語は無数にある

先行研究についての議論においては，過去の論文を振り返ることが多々ありますから，誰々が論文においてこのように「説明している」という表現を繰り返し使うこととなります。

その際に，say や explain のような，ニュアンスが弱くてニュートラルな表現だけに依存していると説明不足となります。

「説明している」に該当する語は数多くあり，各々異なるニュアンスをもっています。clarify, define, describe などの動詞も自分のストックとし，文脈に合わせて上手く使い分けましょう。

非常に近い表現

① ～ clarifies …
　～が…を明確に説明する。

② ～ defines …
　～は…と定義している。

③ ～ describes that …
　～は…だと説明している。

④ ～ accounts that …
　～は…だと説明している。

バリエーション&ニュアンス

■ ～ explains that …
- explain はどのような文脈でも使うことができる，ニュートラルな意味での「説明する」である。
- 以下の①～④のすべてに代用することができるが，ニュートラルでニュアンスが弱いため，どのように説明しているのか，伝えたいことが不明確で曖昧になってしまう可能性がある。

① ～ clarifies …
- わかりにくかった部分を明らかにする，複数の物事の違いやそれまで誤解されていた内容を訂正するというような「説明」をするときに用いる。

＊ Hudson (1996) clarifies the difference that can be seen in the results of two experiments.

訳) Hudson（1996）は二つの異なる実験から得られる結果の違いを説明している。

② ～ defines …
- 理論的な要素をもつ概念などを，**定義するようなニュアンス**で説明したいときに用いる。

＊ Davis (1999) defines the construct as something that is determined with reference to the environmental condition.

訳) Davis（1999）は，構成概念を，環境や状況との関連性を考慮して決められるものだと説明している。

③ ～ describes that …
- 物事や状況を**描写的に説明している**ときに使う。

＊ Moran (2003) describes the living conditions of working-class people in London in the late 1930's.

訳）Moran（2003）は1930年代後半のロンドンの労働者層の生活状況を記述している。

④ ～ accounts that …

・物事や状況について，どうしてそうなったのかなどの**経緯や原因**を含めて説明するときに使う。

＊ The findings in Adams (2006) account that some common features lie in why bullying occurs and cannot be terminated in secondary schools.

訳）Adams（2006）で明らかになった結果は，中学校・高校でいじめが起き，無くならない理由には共通の要因があることを示している。

🔊 言い換え候補単語帳

☐	**explain** ［動詞／他］説明する	say
		state
☐	**clarify** ［動詞／他］明確にする	make clear
☐	**define** ［動詞／他］定義する	interpret
		outline
☐	**describe** ［動詞／他］描く	illustrate
		depict
		portray
☐	**accounts** ［動詞／他］（理由・原因を）説明する	consider
		regard
		view

先行研究を議論する表現

9 説明する

85

UNIT 10 見解が一致していることを示す

A agrees with B in that …

…という点において,AとBは見解が一致している。

■論文における用例

The present author agrees with Negishi (1996) in that the reading subskills would be better described when they are illustrated in dimensions rather than in a list or taxonomies. Therefore, in the present study, the prime interest is to seek for a model which describes how these dimensions could be conceptualized.

(大意)

　読解力の下位能力は,リスト的に独立してとらえられるよりも,次元的にとらえられるべきだという点で,筆者と Negishi (1996) とは見解が一致している。そのため,この研究では,主な興味はこれらの象限がどのように概念化されるかのモデルを見つけることにある。

ここが大事！

何に，どのような観点で見解が一致しているのかをはっきり表そう

　論文においては，複数の意見を戦わせ，それらが同じ意見に基づいているのか，異なった意見に立ったものなのかを整理しながら議論を進めてゆくことがあります。

　「見解が一致している」という表現を用いる際には，何と何の見解が一致しているのかを明らかにするのはもちろんですが，**どのような点（理由）で一致しているのか**ということも，忘れず付記しましょう。第1部でお話しした**「英語は詳細さを求める」**の鉄則を忘れずに。

非常に近い表現

① A supports B because …
　　…という理由で，AはBを支持している。

② A has the same opinion as B in that …
　　…という点で，AはBと同じ意見である。

③ A finds it agreeable that …
　　Aは…ということに賛同する。

④ It is true that …
　　…ということは正しい。

🔄 バリエーション&ニュアンス

■ A agrees with B in that …

① A supports B because …
- in that のあとは that 節の中で，どのような点において一致しているのかを説明する。in that の代わりに because を用いると，なぜ一致しているのかという理由を説明する表現になる。

③ A finds it agreeable that …
- 何と見解が一致しているのか（■，①，②では「B」としていた内容）を，仮主語の it と that 節を用いて説明する表現。
- 上3例における B は主に「誰（と見解が一致しているのか）」ということを示していたが，このように仮主語 it + that 節を用いると，「何（と見解が一致しているのか）」ということを表す。
- agreeable のほかに true を用いてもよい。

④ It is true that …
- 複数の意見を戦わせるというよりは，仮主語 it + that 節の内容と見解が一致しているということを表す表現である。
- be 動詞 + true の代わりに can be agreed, cannot be argued も可。

🔊 言い換え候補単語帳

☐	**support** ［動詞／他］支持する	back up	advocate
		prove	verify
☐	**have the same opinion** ［句］同じ意見をもつ	hold the same claim	
		hold the same position	
		hold the same attitude	
		share the same attitude	
		share the same view	
		share the same opinion	
☐	**agreeable** ［形容詞］見解が一致している	unarguable	
☐	**true** ［形容詞］正しい	valid	agreeable
		unarguable	

UNIT 11 見解が一致していないことを示す

A disagrees with B in that …

…という点において，AとBは見解が一致していない。

■論文における用例

Wada (2003) disagrees with Shizuka (1998) in that the number of factors that illustrate reading subskills obtained from the factor analytic studies is smaller than the one suggested in his study.

（大意）
　因子分析によって得られる読解力の下位能力を表す因子の数は，Shizuka（1998）の研究で得られる数字よりも小さいという点で，Wada（2003）の研究とShizuka（1998）の研究とは見解が一致していない。

ここが大事！

意見が異なる場合は，その理由も必ず記そう

　議論を進める中では，一つの意見ばかりではなく，異なる意見も取り上げて論じる必要があります。そうしないとメインとなる主張の正当性・信頼性が担保されなくなります。

　異なる意見を述べる際には，必ず，**どのような理由で意見が異なるのか**もあわせて記しましょう。

　前ページの論文サンプルにおいては，下線部のあと全てが，見解が一致しない理由の説明となっていることがわかると思います。

非常に近い表現

① A rejects the claim made by B because …
　　…という理由で，A は B の主張を却下している。

② A opposes B in that …
　　…という点で，A は B と反対意見である。

③ It is doubtful that …
　　…ということは疑わしい。

④ ～ cannot be accepted / agreed because …
　　…なので，～は認められない。

🔄 バリエーション&ニュアンス

■ A disagrees with B in that …
・in that のあとは that 節の中で,「どのような点で」見解が一致しないのかを説明する。in that の代わりに because を用いると,見解が一致しない**理由の説明**になる。

① A rejects the claim made by B because …
・claim の代わりに proposition, view（make は hold に変える）, idea, theory（両方とも make は suggest に変える）なども可。

② A opposes B in that …
・■と①が「異論を唱える」というニュアンスであるのに対して, ②の表現は「反対意見である」という強い否定のニュアンスをもつ。

③ It is doubtful that …
・複数の意見を戦わすというよりは, 仮主語 it + that 節の内容に対して**否定的であることを表す表現**である。

④ 〜 cannot be accepted / agreed because …
・「見解が一致しない」というよりはむしろ,「**認められない**」という強い否定を伝える表現である。

🔊 言い換え候補単語帳

☐	**reject** ［動詞／他］却下する	decline	turn down
		discard	rebuff
		abandon	
☐	**claim** ［名詞／C］主張	proposition	view
		idea	theory
		assertion	
☐	**oppose** ［動詞／他］反対する	argue with	object to
		resist	challenge
		take a position against	
		hold a different view from	
☐	**doubtful** ［形容詞］疑わしい	debatable	arguable
		questionable	dubious

UNIT 12 疑問を投げかける

The question remains whether …

…という点については疑問が残る。

■論文における用例

The question remains whether the applications of economic sanctions to these countries could be considered ethically right. Once these sanctions are instituted, they would affect the living conditions of general public in those countries and make them suffer greatly.

(大意)
　それらの国に経済制裁を加えることの道徳的是非については疑問が残る。制裁が加えられると一般市民の生活に影響が出て，彼らを大幅に苦しめることになる。

ここが大事！

先行研究を振り返ることで「疑問」が見えてくる

　先行研究を振り返り，研究者によって異なる主張や，さまざまな問題点が見えてきました。そうするといよいよ，自身の主張に向けて議論を進めることとなりますので，**具体的な論点を整理し，「疑問」という形で読み手に投げかけなければなりません。**

　その疑問への答えがそのあとの議論で明らかにされてゆくのはもちろんですが，疑問自体が論文のいわば核ですから，疑問の投げかけ方は大切なのです。

非常に近い表現

① These views on … may be questioned.
　…についてのこれらの見解は疑問視されるべきだ。

② The question has remained unanswered whether …
　…については未だ解決がされていない。

③ These studies hardly give adequate accounts for …
　これらの研究は…について十分な説明をしていない。

④ No evidence has been provided to suggest that …
　…という見解には根拠が提示されていない。

バリエーション&ニュアンス

■ The question remains whether …

- いろいろな立場や考え方について議論がされたあとに，その中でも**解決されていない論点**について取り上げるときに用いる。
- The question remains という表現の語調が強いので，論文の中で**主となる論点**について述べるときに用いることが多い。

① These views on … may be questioned.

- いくつかの研究で述べられた見解について，**疑問を投げかけたり批判をしたりする**場合に用いる。

② The question has remained unanswered whether …

- いろいろな立場や考え方について議論がされたあとに，その中でも**解決されていない論点**について取り上げるときに用いる。
- has remained unanswered というように remain を完了形で用いているので，**永く答えが出ていない問題**であるというニュアンスが強調される。

③ These studies hardly give adequate accounts for …

- 先行研究をいくつかの分類に分けた上で議論し，**説明が不十分な部分を指摘する**表現。
- 具体的に疑問を投げかけているわけではないが，「十分な説明がされていない」という意味で疑問が残ることを示している。
- UNIT 9「説明する」とも関連が深いので，参照のこと。

④ No evidence has been provided to suggest that …

- 議論されているポイントの周辺的な内容についての議論や考察を行った上で，「しかし，（肝心の）…についての**根拠が不十分である**」という流れを作ることができる。

🔊 言い換え候補単語帳

☐	**question** ［名詞／C］疑問	skepticism	suspicion
		doubt	distrust
☐	**remain** ［動詞／他］残る	persist	be evoked
		abide	be brought up
		arise	be posed
☐	**view** ［名詞／C］見方・見解	opinion	position
		claim	approach
☐	**question** ［動詞／他］疑問にされる	dispute	
		argue	
☐	**unanswered** ［形容詞］未解答である	unsettled	unresolved
		disputable	debatable
☐	**account** ［名詞／C］説明	explanation	clarification
		description	justification
☐	**evidence** ［名詞／C］証拠	proof	
		explanation	
		verification	
☐	**provide** ［動詞／他］提示する	give	supply
		contribute	lay out
		offer	

UNIT 13 用語等を定義し，文脈を明らかにする

～ can be defined as …

～は…のように定義される。

■論文における用例

Refugees **can be defined as** people who were forced to leave the country of their birth or nationality for political or religious reasons or because there was a war or a disaster.

(大意)
　難民とは，戦争や災害，政治的および宗教的理由などで自国から退去することを強いられた人々だと定義される。

・for ～ reason = ～な理由により
例) for environmental reason = 環境（保護）上の理由により

ここが大事！

何を定義しようとしているのか？　まず，対象を分類しよう

　定義をするような文を書く場合には，まずは対象が「何」の分類に属するのか大枠を示し（左の例文であれば"people"），その後，関係代名詞などを使って詳細な説明を加えるようにします。

　たとえば，「太陽エネルギー」は「太陽から太陽光として発され形成される『エネルギー』」なので，分類としては energy になり，あとから which is derived from the radiant light that is emitted from the sun と説明を加えることで，定義をすることが可能になります。

　定義しようとしている対象が**「大枠」**として**どう説明されるのか**，明確に示すようにしましょう。

非常に近い表現

① *sb/st* define ～ as …
　（人／物）は～を…として定義する。

② ～ be regarded as …
　～は…として見られる・認識される。

③ ～ be referred to as …
　～は…として呼ばれる・考えられる。

🔑 バリエーション＆ニュアンス

■ 〜 can be defined as …
- 日本語では「定義される」と断定的な表現になっているが，英語の論文中では can be を用いることで，**語気を弱めた表現**となっている。
- 示そうとしている定義が，断定できるような内容であれば，"Refugees are defined as …" とする。
- 定義したい語句を主語にもってくることで，それをキーワードとして強調している。

① *sb/st* define 〜 as …
- "〜 can be defined as …" の能動態である。
- "〜 can be defined as …" は「誰が」定義しているのかという情報を明示しないので，論文の著者がそのように定義していると理解されるが，"*sb/st* define 〜 as …" は「誰が」そのように定義しているのかを主語においているため，「あるグループの人々は○○と定義している一方で，別のグループは△△と定義している」というように，**グループによって定義が異なる**ことをニュアンスとして含めることができる。

＊ Many researchers **define** refugees **as** people who were forced to leave the country of their birth or nationality for political or religious reasons or because there was a war or a disaster.
訳）多くの研究者が難民を，戦争や災害，政治的および宗教的理由などで自国から退去することを強いられた人々と定義する。

② 〜 be regarded as …
- 辞書的に正式に「定義されている」というよりは，「…のようにみられる（みなされている）」という**一般論的な定義**を示す場合に使われる。
- 〜 be often regarded as … というように often を用いることで，一般論・一般的な定義であるというニュアンスをさらに強める

ことができる。oftenの他に，commonlyやgenerallyなどを用いることもできる。
* People who allow more freedom or who are open to gradual changes in the society **are** often **regarded as** liberals.
訳）社会における自由や変化に寛容な人々は，しばしば，リベラリストと呼ばれる。

③ 〜 be referred to as …

- "〜 can be defined as …"が定義したい語句を主語にしているのに対して，"〜 be referred to as …"は定義の内容を主語にしている。つまり，論文の中で，状況や仕組みなど，定義の内容について先に議論がされていて，それが**どのような総称で呼ばれているのか**を説明する際には，この表現が適していると言える。
- often, commonly, generallyを用いて，効果的にニュアンスをもたせることができる（②を参照）。

* The status in which a child is educated at home, usually by his / her parents or a tutor, **is** often **referred to as** homeschooling.
訳）自身の両親や家庭教師などによって家庭で教育を受ける状態にあることをホームスクーリングと呼ぶことがある。

🔊 言い換え候補単語帳

☐	**define** ［動詞／他］定義する	term
		describe
		stipulate
☐	**refer to 〜** ［句］〜に言及する	mention
		describe
		signify

UNIT 14 順序を示す

The first to ~ is …

1つ目に~なのが,…である。

■論文における用例

The first to be noticed **is** that the topic of passage had a great affect on the extraction of factors. (中略) Although the topic of passage had been very influential in identifying the latent variables, the second factor to be considered is the time that was given to the test takers to complete the test.

(大意)
　初めに注目されるべきなのは,パッセージの主題が因子の抽出に大きく影響を及ぼしたということである。(中略) パッセージの主題が潜在変数に大きく影響していることはわかったが,2つめの要因として考慮されるべきは,テスト受験者がテストに解答するために与えられた制限時間である。

ここが大事!

順序立てて述べたいときは序数詞を用いる

パラグラフを構成するにはいろいろな方法がありますが、その一つが、重要度・頻度・時系列などの順序を示しながら述べてゆく方法です。

基本的には**序数詞**を用いて、first, second, third … last（またはfinal）という要領で示しますが、序数詞を用いると表現が単調になりがちなので、意識的にバリエーションをつけるように心がけましょう。

非常に近い表現

① The － th factor to be considered is … 〔点線部参照〕
－番目の要因として考慮されるべきなのは…である。

② ～ is the － th factor to be considered.
～は－番目に考慮されるべき事項である。

③ First of all, …
初めに、…。

④ ～ is one of the earliest forms that …
～は…した最初の形式である。

🔄 バリエーション&ニュアンス

■ The first to be noticed is …
・notice は一例であるので，論文の文脈に合わせて適切な動詞を選択して用いること。単語帳を参考に。

③ First of all, …
・2番目以降は second, third …など，その順位に応じた序数詞を用いてゆく。右ページの「便利な知識」を参考に。

④ ～ is one of the earliest forms that …
・序数詞ではなく**最上級**を用いても，順位を示す表現が可能である。その場合も，最上級を用いたあとは The second earliest form is … のように，序数詞を用いて続けてゆくことになる。

🔊 言い換え候補単語帳

☐	**notice** ［動詞／他］注意を向ける	observe	note
		consider	remark
		study	
☐	**factor** ［名詞／C］要素・要因	matter	issue
		problem	point
☐	**consider** ［動詞／他］考える	notice	observe
		examine	account
		note	
☐	**form** ［名詞／C］形・型	kind	sort
		type	

| ▶便利な知識 | 順序を述べるときに使える表現 |

「〇番目は・〇番目に」　　first, second, third, fourth, …　　etc.
「次に」　　　　　　　　　next, then, after that
「最後に」　　　　　　　　at last, finally

コラム

英語での議論は Top-Down & 4-Step

　日本語の議論展開は Bottom-Up，英語は Top-Down であるとしばしば言われます。これは，日本語では一番大事な結論が最後（Bottom）に置かれるのに対し，英語では論旨がまず始め（Top）に置かれるという違いを示しています。日本語の論文と英語の論文では，まず，ここに考え方の大きな違いがあることを理解しましょう。

　英語で議論を行うときの Top-Down の論理展開はさらに4つのステップ（4-Step）に分けられます。

Step 1：Topic Sentence（主張を行う）
Step 2：Supporting Sentence(s)
　　　　（Topic Sentence についての説明を行う）
Step 3：Example(s)
　　　　（Supporting Sentence の説明を具体化する例を提示する）
Step 4：Concluding Sentence
　　　　（Step 1〜3までをまとめる。ないこともある）

　英語論文では，各段落の中でこれらの4つのステップが揃ってはじめて議論が成り立ちます。自分の書く論文中の各段落で，すべてのステップが揃っているか確認してみましょう。

UNIT 15 比較・対照する

In comparison with …

…と比較して

■論文における用例

In comparison with those in the European countries, the interest rates in the United States are higher. This is partly due to the fact that Euro is much stronger than dollar on the current market, and many analysts assume that this trend will continue for the future.

(大意)

　ヨーロッパの国々に比べるとアメリカの金利は高い。これは一部,近年の為替市場ではドルよりもユーロが強いことに起因しており,多くのアナリストは将来もこの傾向は続くであろうと予想している。

ここが大事！

何と何を比較しているのかをとにかく明確にしよう

　論文作成においては，2つ以上のものを比較・対照しながらパラグラフを構成しなければならないケースがよく生じます。

　in comparison with ～や，in contrast to ～などを用いて，比較するのが何と何なのか，**すべての読み手にわかるようにしましょう**。左の論文サンプルでは，「ヨーロッパの国々」と「アメリカ」の比較であると冒頭で分かります。

　そして，--er の比較級や，--est の最上級を用いて，比較の具体的な内容（論文サンプルではドルよりユーロが強いという話）を詳しく記述しましょう。

非常に近い表現

① In contrast to ～ , …
　　～と対照的に，…である。

② Contrary to ～ , …
　　～とは逆に，…である。

③ A is different from B in that …
　　Aは…という理由からBとは異なっている。

④ ～ is much stronger than …
　　～は…よりも断然強い。

バリエーション&ニュアンス

■ In comparison with …

① **In contrast to ～ , …**
- 見出し語の in comparison with ～ は「少しは共通点が存在する場合」に用い，①の in contrast to ～ は「異なる点が多く存在する場合」にふさわしいので，区別して用いる。
- in contrast to ～ は in contrast with ～ でもよい。

② **Contrary to ～ , …**
- on the contrary, ～ でも意味合いは同じなので代用できるが，その場合は「何」の逆なのかを示すことはできない。

③ **A is different from B in that …**
- is different（形容詞）の代わりに differ の動詞を用いてもよい。

④ **～ is much stronger than …**
- 比較級を「断然…」のように，強める意味で用いたい場合は，[much + 形容詞 er] のように，**形容詞の比較級の前に much** を付けるとよい。

▶便利な知識	対比を示す接続句
「対して」	On the contrary,
	By contrast,
	Conversely,

🔊 言い換え候補単語帳

☐	**in comparison with ~** ［句］~と比較して	compared with ~
☐	**in contrast to ~** ［句］~と対照的に	contrary to ~
		in contrast with ~
☐	**different from ~** ［句］~とは異なる	contrastive to ~

コラム

比較・対照の文章の構成パターン

比較・対照の文章構成パターンは2種類考えられます。

① Point-by-Point Organization

たとえば日本と米国の学校教育制度を比較する文章を書く場合，比較・対照するポイント（ex. 義務教育の長さ，教科書…等）ごとに段落を構成し，1つの段落の中で，ポイントごとの日米の比較を行うという文章構成の方法。

② Side-by-Side Organization

①と同じケースにおいて，まずは日本の学校教育の歴史について1つの段落で説明をして，その後，米国の学校教育の歴史について別の段落で説明を行うという文章構成の方法。

どちらを用いるかは書く内容によって決定します。Point-by-Point Organization は，ポイントごとの違いを明らかにしやすいため頻繁に用いられます。特に情報量の多い内容を比較する場合には，ポイントごとに整理ができるこのパターンは好適です。

一方，Side-by-Side Organization は歴史や時代ごとの特徴など，一連の流れに強いつながりがある内容を比較する場合に用いられます。ただし，それぞれの段落で説明が終わった後には，2つの内容を比較・対照する「まとめ」の段落も必要になります。

自分が書こうとしている内容はどちらにあてはまるのかを考えて，適切なパターンを選びましょう。

UNIT 16 共通点や共通の度合いを示す

In the same way, …

同様に…である。

A agrees with B.

AとBは一致している。

■論文における用例

In the same way, the number of factors extracted from factor analytic studies were three in Study Two. This **agrees with** the result acquired from Study One and proves that the original hypothesis was correct.

(大意)
　同様に，実験2でも因子分析により確認された因子の数は3つだった。この結果は実験1の結果と一致し，この研究の当初の仮説が肯定されたことになる。

ここが大事！

「似ている」と「一致している」は厳密に使い分ける

　論文を進める中で，2つ以上の事物の共通点や類似点を示しながらパラグラフを構成することはよくあります。

　英語では，「似ている」のか「一致している」のかを厳密に述べなければならない文脈も多く見られます。

　「一致している」場合には same のほかに，identical, matching, parallel, equivalent などの形容詞を用いることができます。

　一方，「似ている」場合には，alike, comparable, homogeneous, almost identical などの形容詞を用いることができます。

　ただし，「似ている」と表現した場合には，似ている一方で「どこが異なるのか」という説明も加えるようにします。

非常に近い表現

① The same ～ is true for …
　　…についても同じく，～ということが言える。

② ～ holds the same attitude in that …
　　～は…という点で同じとらえ方をしている。

③ In the same manner, …
　　同じように考えれば，…。

🔖 **バリエーション&ニュアンス**

■ **In the same way, …**
- In the same way の代わりに likewise や correspondingly などの表現を用いてもよい。

■ **A agrees with B.**
- agree の代わりに coincide, correspond などの動詞を用いてもよい。ただし, agree は**意見や見解などにおける共通点**を示す場合, coincide, correspond は**状況や実験結果などが一致する**ことを示す場合に用いることが多い。

① **The same ~ is true for …**
- the same ~ の代わりに similar ~ という表現を用いることもできるが, 意味の違いに注意。

* same：比較しているものが全く同じであるときに用いる
* similar：少々異なる点があってもよい

② **~ holds the same attitude in that …**
- hold の代わりに take を用いてもよい。
- in that がなくても文は成立する。in that の代わりに and で文をつなぐことも可能である。

③ **In the same manner, …**
- この表現は, 現象・事柄などの共通点よりも, **分析の方法や考え方などの共通点を示す**ために使う表現である。

言い換え候補単語帳

☐	**In the same way,** ［副詞］同じように	likewise
		correspondingly
☐	**true** ［形容詞］真である	correct
		valid
☐	**agree with ～** ［句］一致する	coincide with
		correspond with
		match with
		conform with
		be consistent with
		be equivalent with
☐	**attitude** ［名詞／C］態度	claim
		position
		opinion
		perspective
		approach
☐	**manner** ［名詞／C］態度・考え方	fashion
		approach
		style
		perspective

UNIT 17 例を挙げる

One example of 〜 is …

〜の例として，…がある。

■論文における用例

One example of the most serious problems found in developing countries **is** that children in labor are often denied their access to education. In this way, they are deprived of their opportunities to better health, higher wages, and, most of all, better life.

（大意）
　途上国における最も深刻な問題の一つ（の例）は，労働させられている子どもが教育を受ける権利をしばしば剥奪されてしまっていることがあるということである。これによって，彼らは健康向上，よりよい賃金，そしてよりよい生活への可能性を奪われているのである。

☞ ここが大事！

パラグラフ冒頭で主題を示してから，例を挙げて説明する

　例を挙げるときのパラグラフ構成においては，まず冒頭で主題を述べます。そのあと，それについて詳しく説明するという形で，例の提示を行うという方法が効果的です。

　「例」というと真っ先に example という語が出てきます。また，複数の例を紹介するときには序数詞（UNIT14）を用いることも一般的です。それでももちろんよいのですが，そのような**直接的な表現を用いずに例を挙げる**ことも可能ですので，バリエーションを学んでおきましょう。

✏ 非常に近い表現

① For example, 〜
　たとえば，〜

② 〜 is the perfect example of …
　〜が…のとても良い例である。

③ This phenomenon can also be seen in 〜
　この現象は〜においても見ることができる。

④ 〜 illustrates the phenomenon.
　〜はこの現象を例証している。

🔄 バリエーション&ニュアンス

■ One example of ～ is …

- One example of ～ is …のあとは，another example is …と続けることができる。
- one example は，the first example, the second example のように，序数詞を用いた表現で代用することもできる。

① For example, ～

- For instance, ～ としてもよい。

② ～ is a perfect example of …

- perfect example の代わりに使える表現をいくつか紹介する。

---
* excellent example, apt example（適例）
* common example, typical example（典型例）
* extreme example（極端な例）
* unique example, rare example（珍しいちょっと変わった例）

---

③ This phenomenon can also be seen in ～

- phenomenon の部分には，文脈に合う適切な名詞を選択して入れる。

④ ～ illustrates the phenomenon.

- illustrate の代わりに exemplify, represent などの動詞（単語帳参照）を用いてもよい。

＊ The fact that the participants in the experimental group scored higher than those in the controlled group illustrates the phenomenon.
訳）実験群の被験者のほうが，統制群の被験者よりも得点が高かったという事実がこの現象を例証している。

言い換え候補単語帳

☐	**example** ［名詞／C］例	instance
		case
		illustration
☐	**perfect** ［形容詞］最適の	excellent
		ideal
		model
		good
☐	**phenomenon** ［名詞／C］現象	occurrence
		event
		case
		circumstance
☐	**illustrate** ［動詞／他］描く	exemplify
		represent
		demonstrate
		show

コラム

コピー＆ペーストは禁止　たとえ同じ内容でも…

　一度述べた内容を，結論などで，強調（念押し）のためにもう一度述べる場合があると思います。また，データなどを説明している部分で，同じデータの数値だけを変え，同じ文構造を使いたくなる状況もあることでしょう。

　その際に，同じ内容だからといって，先の内容をそのまま述べたり，コピー＆ペーストしたりするのは稚拙な方法だと考えられています。

　同じ内容を述べる際にも，別な表現を用いたり，構文を変えたりすることで言い換えは可能です。本書でも言い換えの表現を多数紹介していますので，それらも参考にし，表現にバラエティのある文章を書きましょう。

UNIT 18 データや根拠を引用する

According to ～ , …

～によれば，…である。

■論文における用例

According to the study done by Kobayashi (1993), many foreigners in Japan face the situation where they hesitate to go to hospital because they are afraid that they cannot make themselves understood in Japanese. As Kadomoto (2001) points out, this becomes a serious problem because the delay in finding the illness often affects its seriousness.

（大意）
　Kobayashi（1993）の調査によると，日本に住む多くの外国人が日本語に不安を感じ，病院に行くことを躊躇してしまっているようだ。Kadomoto（2001）が指摘するように，この状況は病気の発見が遅れ，その進行度に影響を与えるという観点から，とても深刻な問題である。

ここが大事！

先行研究はたくさん引用しよう

　論文においては，自身の**主張の妥当性の裏付け**として，先行研究の引用は積極的に行いましょう。

　ただし，せっかくたくさん引用しても，そのすべてが同じように X says …. で始まるのではあまりにも一本調子でつまらない文章となり，読み手の関心を喚起することができません。

　なるべく多くの語彙や表現を使いこなし，先行研究の引用部分の文章に**メリハリ**をつけていきましょう。

非常に近い表現

① As ～ points out, …　点線部参照
　～が指摘するように，…である。

② As it is pointed out by ～ , …
　～によって指摘されているように，…である。

③ To continue along the line of approach suggested by ～ , …
　～の立場を継承すると，…である。

④ Contrary to what is suggested by ～ , …
　～が提案していることとは逆に，…である。

🔗 バリエーション&ニュアンス

■ According to 〜 , …
・冒頭で挙げたような表現のほかにも，According to Kobayashi のような表記方法も可能である。

① As 〜 points out, …
・この表現のほかにも，As Kadomoto points out in her study in which she carried out a survey among 300 foreigners living in Japan … のように，「…のような研究」と研究の内容を加える説明の仕方もある。

② As it is pointed out by 〜 , …
・上に挙げた As 〜 points out, … を**無生物主語**の it を用いて言い換えた場合の表現。意味にはあまり違いはないが，より**論文口調**になる。

③ To continue along the line of approach suggested by 〜 , …

④ Contrary to what is suggested by 〜 , …
・suggest の代わりに point out, mention, conclude などの動詞を用いてもよい。ほかは単語帳を参照のこと。

▶ コラム

ネット上の情報，どこまで参考文献になりうるか？

　今日，インターネットは便利な情報源となっています。フリー百科事典 Wikipedia や，専門家が情報発信するブログなど，みなさんも便利に利用したことがあるでしょう。

　しかしながら，学術論文においてはこれらの情報源は，文献としては認められません。論文ではあくまでもアカデミックな情報やデータに基づいた議論が進められるべきで，そのような背景をもたないネット上の情報は，論文に含めるには不適切とみなされています。

　ネット上の情報を活用する際には，その背景にアカデミックな根拠が存在するか否かに留意しながら行いましょう。

🔊 言い換え候補単語帳

☐	**point out** ［句］指摘する・述べる	mention	
		note	
		suggest	
		conclude	
		draw attention	
		indicate	
		identify	
		claim	
☐	**line** ［名詞／C］ 一連の（スタイル）	style	
		fashion	
☐	**approach** ［名詞／C］立場	attitude	
		perspective	
☐	**suggest** ［動詞／他］提案する	propose	take
		indicate	adopt
		demonstrate	point out
		advocate	mention
		express	conclude
☐	**Contrary to ～** ［句］～と対照的に	In contrast to ～	

UNIT 19 実験方法や検証の手順を説明する

In ⋯, samples of 〜 were gathered.

…の実験では，〜の参加者が集められた。

■論文における用例

There are two parts to this research: Study 1 and Study 2. **In** Study 1, **samples of** 257 senior high school students in Tokyo metropolitan area **were gathered**. The test instrument used in this part of this research was a four-option multiple-choice reading test that consists of 36 items. The test was to be completed in 70 minutes.

（大意）
　この研究は Study 1 と Study 2 の2部から構成されている。Study 1 では，257人の東京首都圏の高校生からデータが集められた。この調査で使われた実験（質問）紙は，4つの選択肢をもつ36問の読解力テストである。制限時間は70分であった。

ここが大事！

自分ならではの説明パターンを編み出しておこう

　実験を伴う調査を論文化するケースにおいては，その実験反証性（falsifiability）が要求されます。理論の客観性を保つには，仮説が実験や観察によって反証される可能性がなければなりません。

　つまり，**反証の可能性**も含め，**実験方法**，**検証手順**などをわかりやすく正しく記せる能力が，公正な論文を作る上で重要なのです。

　そのような記述は手間がかかる反面，一度パターンを作ってしまえばいろいろな論文で繰り返し使えますので，一度時間をかけて書いてみて，**自分のパターンを作り上げてしまう**ことをお勧めします。

非常に近い表現

① The subjects in ～ were …
　～の調査における被験者は…だった。

② The test instrument used in ～ was … 〔点線部参照〕
　～で使われた質問紙は…である。

③ ～ was observed from …
　…から～が計測された。

④ Data were gathered from ～ using …
　…を用いて，～よりデータが収集された。

バリエーション&ニュアンス

■ In …, samples of ～ were gathered.
- 収集した（被験者の）データについて説明を行う表現。
- sample は「標本，データ」の意をもつ。data を用いることも可能。

① The subjects in ～ were …
- 被験者について説明する際の表現。…には被験者の人数などの説明が入る。
- subject は「被験者」。ほかに participant を用いてもよい。

② The test instrument used in ～ was …
- 使用した質問紙や実験器具について説明を行う表現。
- test instrument は「実験器具」，アンケート調査等の場合には「質問紙」。アンケート調査であれば代わりに questionnaire form を用いてもよい。

③ ～ was observed from …
- 実験により，どのようなデータが観測されたのかを示す表現。例文確認のこと。

＊ The numbers of how many items each subject answered correct was observed from Study 1.
訳）研究1の結果から，被験者一人一人の問題の正解数が観測された。
- 文脈に合わせて，observe の代わりに measure を用いてもよい。

④ Data were gathered from ～ using …
- 実験方法や検証の手順の概要を説明するために用いる表現。
- from ～で被験者の説明，using …で実験器具や質問紙などの説明を行う。

言い換え候補単語帳

	見出し語	言い換え	
☐	**sample** [名詞／C] 標本	data	
☐	**gather** [動詞／他・自] 収集する	collect	converge
		cluster	assemble
☐	**subject** [名詞／C] 被験者	participant	
☐	**instrument** [名詞／C] 器具	equipment	
☐	**use** [動詞／他] 使用する	employ	utilize
		adopt	
☐	**observe** [動詞／他] 観察する・計測する	measure	monitor
		analyze	examine

コラム

I / We / You / People などを主語にしない

　論文の中で，I / We / You / People などを主語として用いるのはなるべく避けるべきです。

　論文を書いていると，特に考察や結論の部分で自身の見解を述べる際に，I think… / We should… / You should… / People may … のような表現をしてしまいがちです。しかし，「I / We / You / People」は主語としてあまりにも不明瞭です。

　論文では多くの場合，何かの因果関係が分析され，そこに考察が加えられることがありますが，その際，「主語」になる人・物がどのような立場で，どのような特性をもっているのかが不明では，因果関係を正しく説明することができません。

　I / We / You / People では，それがどのような立場のどんな人物なのか，読み手に伝わりません。そのため，主語では Those people who…などのように説明的に表現をすることを心がけておきましょう。

UNIT 20 表やグラフを説明する

Table X shows …

表 X は…を表している。

■論文における用例

Table 1 **shows** the descriptive statistics of results from Study 1. The mean score and standard deviation suggest no problematic result. As the minimum and maximum scores indicate, there were no subject who scored 0% or 100% for this test instrument.

(大意)
　表 1 は Study 1 の記述統計を示しています。平均値と標準偏差から，結果に問題がないことが分かります。最高点と最低点が示すように，この実験紙では，0％および 100％の正解率だった被験者はいませんでした。

ここが大事！

単調な表現になりがち。自分の表現パターンをもとう

　実験の結果の記述は，数値などを説明すればよいので，一見単純な作文をすればよいように思えますが，それは落とし穴です。どうしても**表現が単調**になりがちで，それを解消しようとすると意外に苦労させられます。

　ただ，これも UNIT19（実験方法・検証）と同じく，表現のパターンを作ってしまえば繰り返し使えるものですので，このあとのボキャブラリーを参考にして，**自分なりのパターン**を作ってみてください。

非常に近い表現

① This is a table which shows 〜
　この表は〜を表している。

② Table 〜 summarizes …
　〜の表が…の概要を記している。

③ 〜 appears in Table …
　〜は…の表に記されている。

④ As 〜 indicates, … 〔点線部参照〕
　〜が示すように，…である。

バリエーション&ニュアンス

■ **Table ～ shows …**
- 表，図，数値が何を記しているのかを説明する表現。
- "Table 1"や"Figure 6"のように，図表のタイトルを記す場合は，**Table や Figure の先頭文字は大文字**とする。
- 表：table，数値もしくは図表：figure，グラフ：graph または chart，図：diagram などを，文脈に合わせて代用してもよい。

① **This is a table which shows ～**
- 示された表，図，数値が何を示しているのか説明する表現。

② **Table ～ summarizes …**
- 示された表や図・数値が何を記しているのかの概要を説明する表現。

③ **～ appears in Table …**
- 表が何を記しているのかを説明する表現。上記の表現と比べ，データや数値が「どの」表に記されているのかを強調して示すことができる。

④ **As ～ indicates, …**
- 表や図・数値などが示しているデータを基に，それが何かを指摘する表現。

言い換え候補単語帳

☐	**show** [動詞／他・自] 示す	indicate
		illustrate
		describe
☐	**summarize** [動詞／他] 概要を示す	give an outline of ～
		outline
		sum up

☐	**appear** [動詞／自] 現れる	be indicated
		be shown
		be illustrated
		be described
☐	**indicate** [動詞／他] 示す	show
		suggest
		imply
		illustrate

コラム

グラフ　用途に応じて使い分けよう

　グラフは大きく分けて3種類。用途に応じて使い分けましょう。

1）棒グラフ（bar graph）

　　複数データの数量の大小を比較したいとき使う。縦向きの vertical bar graph と横向きの horizontal bar graph がある。

2）折れ線グラフ（line graph）

　　時間などの経過と合わせたデータの推移を表したいとき使う。複数のデータを比較する場合には実線や点線などを使い分ける。

3）円グラフ（pie chart）

　　全体に占める割合（構成比）を表したいとき使う。一般的にデータは，右上から時計回りに大きい順に並べ，「その他」を最後に示す。

UNIT 21 明らかになる

It is evident from ～ that …

～から…ということが明らかになった。

■論文における用例

Conditions reported in these studies signify an emerging labor shortage in Japan. **It is evident from** these findings **that** Japan will have to depend on the work forces in the developing countries such as those in Southeast Asia.

（大意）
　これらの研究で報告されたことは，日本の労働力不足を象徴している。これらの報告から，日本が今後，東南アジア等の発展途上国に労働力の供給を頼っていかなくてはならなくなるということが明らかになった。

ここが大事！

何が「明らかに」なったのか，シンプルにまとめよう

　論説の根拠となる実験や調査の結果というものは，えてして膨大な量になりがちです。それを逐一記述して行こうとすると，それらが結論にどのようにつながるのか，道筋が見えづらくなります。
　研究結果を十分に提示したあとは，考察のポイントをなるべく**凝縮した表現**で**端的**に記しましょう。表現がシンプルであるほうが，「いったい何が明らかになったのか」ということがストレートに読み手に伝わるでしょう。

非常に近い表現

① It became clear that …
　　…ということが明らかになった。

② ～ clearly shows that …
　　～は…ということを明確に示している。

③ ～ proves that …
　　～によって…ということが証明された。

④ ～ provides sufficient evidence to say that …
　　～は…と断言する十分な根拠を提示している。

■ It is evident from ～ that …

- 文頭で It is evident と断言することで，この文が研究の結果明らかになった点を明言する文であることを強調することができる。
- どのような根拠で明らかになるのかということを from ～ で説明することにより，「根拠」と「明らかになる点」の間に明確な**論理的つながり**をもたせることができる。
- evident の代わりに clear, obvious, apparent を用いることもできるが，これらには以下のようなニュアンスの違いがある。

＊evident：事実から判断して根拠があり，明らか
＊clear：あいまいさがない
＊obvious：誰が見ても明らか
＊apparent：視覚的に明らか（一目瞭然）

ただし，obvious と apparent は「明らかである」という語気が強いため，論文中では確証が高い内容に言及する場合に使う。

① It became clear that …

- 文頭で It became clear と断言することで，この文が，研究の結果をもとに明らかになった点を明言する文であることを強調することができる。
- become の代わりに be 動詞を用いることもできるが，調査の結果から明らかになったという結果としてのニュアンスを表現するためには become を使ったほうがよい。
- clear の代わりに evident, obvious, apparent を使うこともできるが，伝わるニュアンスに違いがある（上の項を参照）。

② ～ clearly shows that …

- 論説の根拠となる実験や調査の結果を～の部分に，明らかにな

る内容を…の部分に示す。
- 〜に入れるのは，…に結び付く**単独の研究結果**であることが多い（**複数の研究結果**を総合的に判断する場合には，仮主語のItで始まるIt is evident from 〜 that …やIt became clear that …を使う）。

* The results of the survey from WHO (2010) clearly show that there is a demand for reforms in how healthcare programs are initiated in African countries.

訳）WHO（2010）の調査結果は，アフリカ諸国での保健制度の展開に改革が必要であることを明確に示している。

③ 〜 proves that …
- 論説の根拠となる実験や調査の結果を〜の部分に，明らかになる内容を…の部分に示す。
- 明らかになる内容（＝…の部分）について，それが正しいのか間違っているのかを明らかにする（prove ＝証明する）場合に用いる表現。

④ 〜 provides sufficient evidence to say that …
- 論説の根拠となる実験や調査の結果を〜の部分に，明らかになる内容を…の部分に示す。
- provideの代わりにgiveを使うこともできるが，根拠を「挙げる」だけではなく，**十分な根拠を提示している**というニュアンスを伝えるためにはprovideを用いたほうがよい。
- sayを他の同義語で言い換えることもできるが，…で言われている内容が明らかになった事実が重要であり，sayという行為の重要性が低い場合は，ニュートラルなニュアンスをもつsayを用いたほうがよい。逆に，…で言われている内容を主張することの**正当性を強調したい場合には**，よりニュアンスの強いclaim，assert，insistなどを用いるべきである。

🔊 言い換え候補単語帳

☐	**evident** ［形容詞］明らかな	clear
		obvious
		apparent
☐	**show** ［動詞／他］示す	indicate
		demonstrate
		reveal
☐	**prove** ［動詞／他］証明する	confirm
		verify
		certify
☐	**provide** ［動詞／他］提示する	supply
		bear
		adduce
		present
☐	**say** ［動詞／他］言う	claim
		assert
		insist

UNIT 22 結果を述べる

～ have resulted in …

～は…という結果になった。

■論文における用例

The drastic reduction in the quantity of learning contents in the course of study **has resulted in** the deterioration of students' academic levels in primary and secondary schools in Japan. Consequently, the Ministry of Education and Science is currently making every effort to come up with new programs that would help improve the situation.

(大意)
　指導要領における大幅な学習内容の削減が、初等・中等教育における学力低下を引き起こした。その結果、文部科学省は現在、この状況の改善のために、新しい政策を立てる努力をしている。

ここが大事！

原因と結果は表裏一体。どちらに重きを置くかで表現は変わる

　因果関係において大切なことは，原因の説明と結果の説明は表裏一体となるということです。つまり，文の**焦点を原因に置くのか，結果に置くのか**によって，書くべき文章はまったく変わってきます。

　前ページの論文でいえば，学習内容削減の背景を分析したいのか，学力低下を憂えて学力向上について論じたいのかによって，論文表現はまったく違ったものになるということがお分かりいただけると思います。

　ここでは，主に結果に焦点を当てた表現を紹介します。

非常に近い表現

① ～ resulted from …
　…という原因で，～という結果になった。

② ～ turned out to …
　～は…という結果になった。

③ It has followed that …
　…という結果になった。

④ Consequently, ～　[点線部参照]
　その結果，～。

バリエーション&ニュアンス

■ ～ have resulted in …
- [原因 + result in + 結果] という語順により，**因果関係の時系列**がわかりやすい。in という前置詞により，「その結果が…のようになった」と結果を強調。

① ～ resulted from …
- 上の表現と比べて原因と結果の順番が逆になった。結果を主語にすることによって，文の焦点が結果にあることが強調された。

② ～ turned out to …
- ～ resulted in …と比べて，結果が「予期されなかったものだった」というニュアンスを含む表現である。

③ It has followed that …
- 主語に**無生物主語**の It を持ってくることで，論文的な口調を強め，that 以下に結果をまとめることで，結果の内容をより強調することができる。

④ Consequently, ～
（下の単語帳で言い換えを参照）

言い換え候補単語帳

☐	**result in** [句] ～という結果になる	end in	lead to
		trigger	
☐	**result from** [句] ～から（そう）なる	be caused by	occur from
		be brought about by	
☐	**follow** [動詞／他・自] ～ということになる	come to	develop
		proceed	arise
☐	**Consequently,** [副詞] その結果	As a result,	Thus,
		As a consequence,	Hence,
		Accordingly,	

UNIT 23 原因を述べる

The cause of ～ is …

～の原因としては，…ということが考えられる。

■論文における用例

The central **cause of** children keeping themselves away from playing outside **is** the invention of TV and video games, along with the destruction of natural environment through rapid urbanization. In the same manner, the fact that students are losing interest in the studies of natural science can also be attributed to this phenomenon.

（大意）
　子どもたちが外で遊ばなくなった主な原因は，急速な都市化による自然環境破壊に加え，テレビ・ビデオゲームの発明にあります。同じように考えて，彼らが自然科学に興味をもたなくなったことも，同じ原因に起因すると考えてよいでしょう。

ここが大事！

「原因」にもいろいろある。きめ細かく説明しよう

論文においては，説明しようとしている事象の「原因」を説明しなければならない機会は数多く出てきます。いかなるときも，原因の究明は大切なことなので，表現方法を誤ると読み手を混乱に陥れます。

一つ前の UNIT22「結果を述べる」とあわせて，いろいろな表現パターンを習得してください。

非常に近い表現

① A has caused B to …
　A が，B が…する原因になった。

② Due to ～ , …
　～が原因で，…になった。

③ ～ is held responsible for …
　～は…の一因になっていると考えられる。

④ ～ is attributed to … 点線部参照
　～になった原因は…に起因する。

🔗 バリエーション&ニュアンス

■ The cause of 〜 is …
・cause の前に very，central，major などの形容詞を用いて，原因としての重要度を示すことができる。

① **A has caused B to …**

② **Due to 〜 , …**

③ **〜 is held responsible for …**
・①と②と③の言い換えを下の単語帳で確認のこと。

④ **〜 is attributed to …**
・〜の部分では the fact that ― や the problem of ― のような結果を説明し，… の部分でその原因を示す。

🔊 言い換え候補単語帳

	cause ［名詞／U・C］原因	reason	grounds
☐		base	

	cause ［動詞／他］起こす	lead	trigger
☐		promote	inspire
		provoke	induce
		bring about	

	Due to 〜 , ［句］〜が原因で	As a result of 〜	Because of 〜
☐		Owing to 〜	Thanks to 〜

	be held responsible for 〜 ［句］〜の原因になる	be charged with 〜
☐		be blamed for 〜

	be attributed to 〜 ［句］〜と関連づけられる	be associated with 〜
☐		

UNIT 24 理由・根拠を述べる

～ in that …

～である。というのは，…だからである。

■論文における用例

As many women started working outside their households, their awareness toward political issues gradually rose. This change was considered significant in discussing the liberal feminism movement in the 1960's **in that** many researchers regard this change as one of the potential causes that had led to it.

（大意）
　多くの女性が家庭の外で働くようになり，彼女たちの政治に対する意識が高まった。この変化は，1960年代の女性運動への潜在的な原因となったと考えられていることもあり，当時の背景を議論する上では象徴的だと考えられている。

ここが大事！

becauseだらけの文章は幼稚な印象

　説得力ある主張を行うためには，その主張の根拠や理由を力強く示さなければなりません。

　理由を述べる際に一番多く使われるのがbecauseだと思いますが，この語ばかりを繰り返すと，**単調かつ幼稚な文章**になってしまいます。

　このあと紹介するいくつかの表現を用いながら，根拠や理由の主張パターンのバリエーションを増やしてゆきましょう。

非常に近い表現

① ～ because …
　　～である。なぜならば，…だからである。

② Because ～ , …
　　～なので，…である。

③ The reason ～ is because …
　　～である理由は…である。

④ —ing ～ , …（分詞構文）
　　～を—すると，…である。
　　～を—したので，…であった。

バリエーション&ニュアンス

■ ～ in that …
- 前半（～部）で文の主体となる内容を述べ，後半（in that の後）でその理由・根拠を述べる。
- in that の代わりに for を用いてもよい。

① ～ because …
- in that と because の2つは，理由・根拠を述べるという点では同じ働きをもつが，ニュアンスが異なる。文中で述べている理由・根拠に注意を向けたい場合には because，文中で述べている事実と理由・根拠の関連性に注意を向けたい場合には in that を用いる。

② Because ～ , …
- Because の代わりに Since を用いてもよい。
- Because ～（後に続く～は主語＋動詞）の代わりに，Because of …（後に続く…は名詞か名詞句）を用いてもよい。

※Because の使い方に関しての注意
接続詞 Because は節の頭に置かれるので**必ず主節と共に用いる**。

× The experiment had failed. Because the method was incomplete.

○ The experiment had failed because the method was incomplete.

○ Because the method was incomplete, the experiment had failed.

訳) 実験手順が不完全だったので，実験は失敗した。

③ The reason ～ is because …
- ～は The reason 主語＋動詞，または The reason why 主語＋動詞のどちらでもよい。
- because の代わりに that を用いてもよい。

④ —ing 〜 , …

・—ing 〜で表される部分が理由になり，…が述べている事実になる。このような構文を**分詞構文**という。

＊ Observing that the results were unstable, it was decided that the test should be carried out again.

訳）実験結果が安定しないことを受けて，再実験が必要だと決定された。

🔊 言い換え候補単語帳

☐	**because** と共に用いることができる副詞 ※可能性が高いものから順に	definitely because（絶対に〜だからである）
		probably because（たぶん〜だからだろう）
		possibly because（もしかしたら〜だからかもしれない）
		mainly because（主に〜だからである）
		partly because（一部〜だからである）
☐	**reason** ［名詞／C］理由	cause
		motive
		purpose
		aim
		intention
		objective
☐	**reason** ［名詞／C］根拠	explanation
		justification
		argument

142

UNIT 25 効果を述べる

A enables B to …

A は B が…することを可能にする。

■論文における用例

These improvements in the processing time of computer network will **enable** doctors in hospitals **to** acquire exam results in a much shorter time. Patients would feel less stress in waiting to receive the exam results since their waiting time will be reduced approximately by 30%.

（大意）
　コンピュータネットワークの処理時間が改善されることが，医師が検査結果をより短い時間で受け取ることを可能にする。患者側においても，検査結果を受け取るまでの時間が約 30％短くなることにより，ストレスが軽減されることになる。

ここが大事！

研究結果にどんな意義があるのかは，研究論文の最大のテーマ

　実験や調査などの結果を示し，それについて考察を加える際には，その内容が現状の問題点に対してどのような変化をもたらすのか，つまり「効果」を説明する必要があります。

　効果の説明がうまくいくかどうかで，結論への流れが変わってきます。そしてなんといっても，効果の存在を主張するということは，時間と費用を費やして生み出された**研究論文の最大の使命**であることをお忘れなく。

非常に近い表現

① A allows B to …
　AはBが…することを可能にする。

② A makes B …
　AがBを…させる。

③ A helps B to …
　AはBが…することを助ける（促進する）。

🔄 バリエーション&ニュアンス

■ A enables B to …

- enable / allow / help / make は**無生物主語**とよくセットになる動詞である（第1部 P31 参照）。これを用いることで，研究の結果により可能になる「効果」をアクション型の文で説明することが可能になり，原因と結果の因果関係を明確に示すことができる。
- 文脈や何が可能になったかの内容によっては，Bを明言せず，

* These changes **enabled improvements** in the processing time of computer network.

訳）これらの変化が，コンピュータネットワークの処理時間の改善を可能にした。

のように，「Aは…を可能にした」という構文で用いることも多い。Bを明言しないことで，「Aによって…がもたらされた」というニュアンスが強くなり，原因と結果の**因果関係がより強調された文**になる。

① A allows B to …

- allow は「許す・許可する」という意味合いが強いので，「AがBに…させた」のように，…の内容に対してAがもつ**影響力の大きさを強調する**ニュアンスが強い。
- enable を用いる場合と同様，Bを明言せず用いることもできる。

* The new technology **allows** the engine **to increase** in its efficiency by 30 percent.

* The new technology **allows an increase** in the engine's efficiency by 30 percent.

訳）新技術がエンジン効率が30％上昇することを可能にした。
後者のほうが，原因と結果の因果関係がより強調された文になる。（本ページの冒頭，■ A enables B to …の説明参照）

② A makes B …

- make は使役動詞として使われているので，allow と同じように，…の内容に対して**A がもつ影響力の大きさを強調する**ニュアンスが強い。
- 他の表現とは異なり，B は必ず明言しなければならない。ただし，…が形容詞のみで示されることもある。

* Further analyses will **make** the outcome become more understandable.
* Further analyses will **make** the outcome more understandable.
  訳）さらなる分析を行うことが結果をよりわかりやすくするだろう。

③ A helps B to …

- help は「助ける」という意味合いが強いので，…の内容に対して，A は原因の一部であり，その原因は他にもあるという場合に用いる。
- help を用いる場合も B を明言しないことがあるが，その場合は to …は名詞化されるのではなく，**原型不定詞**になる。

* This might be the factor which **helped** the president **to** strengthen his popularity.
* This might be the factor which **helped** strengthen the president's popularity.
  訳）これが社長の人気を高めることを可能にした原因かもしれない。

📢 言い換え候補単語帳

　enable / allow / help / make などの動詞はそれぞれに独立したニュアンスをもつ単語なので，言い換えることができる他の動詞や表現はありません。

UNIT 26 利点(欠点)を述べる

～ has the advantage (disadvantage) that …

～には…という利点(欠点)がある。

■論文における用例

The model suggested by Dawkins (2003) **has the advantage that** it encompasses most of the features demonstrated and discussed in the previous studies of the related fields. Many studies base their research design on her model.

(大意)
　Dawkins (2003) で提案されたモデルは，関連分野の先行研究で提案され議論されている要素をほぼすべて取り込んでいるという点で優れている。多くの研究がこのモデルを研究デザインのベースにしている。

ここが大事！

利点・欠点という視点で研究結果をシビアに評価してみよう

　実験や調査によって導き出された内容は，「それが現状の問題点に対してどんな変化をもたらすか？」というところまで考察されなければいけません。その際には，「**それがもたらす利点，欠点は何だろう？**」という視点に立つと，考察が進めやすくなります。
　UNIT25では「効果」の示し方を解説しましたが，それと同様に「利点・欠点」も読み手が納得できるような説明とともに，明快に示してください。

非常に近い表現

① ～ has an advantage (a disadvantage) of ---ing …
　　～には…を---するという利点（欠点）がある。

② A has an advantage (a disadvantage) over B in that …
　　Aは…という点で，Bの優位（下位）に立つ利点（欠点）をもつ。

③ One of the advantages (disadvantages) of ～ is …
　　～の利点（欠点）の一つは…ということである。

④ A is advantageous (inferior) to B in that …
　　Aは…という点で，Bの優位（下位）に立つ。

バリエーション&ニュアンス

■ ~ has the advantage (disadvantage) that …
- 文頭で「~には利点（欠点）がある」と断言することで，この文が利点（欠点）について述べる文であることが読み手に伝わる。
- advantage (disadvantage) の直後に that 節で説明を加えることで，どのような利点（欠点）であるのかという内容にも焦点を当てる。

① ~ has an advantage (a disadvantage) of ---ing …
- 文頭で「~には利点（欠点）がある」と断言することで，この文が利点（欠点）について述べる文であることが読み手に伝わる。
- 分詞（---ing）を用いることによって，同じ部分に that 節（that S+V）を用いることで起きる**主語の繰り返しを避ける**。

＊ The model suggested by Dawkins (2003) **has the advantage of encompassing** most of the features demonstrated and discussed in the previous studies of the related fields.

訳) Dawkins (2003) で提案されたモデルは，関連分野の先行研究で提案され議論されている要素をほぼ取り込んでいるという点で，Wright (2001) で提案されているモデルよりも優れている。

② **A has an advantage (a disadvantage) over B in that …**
- AとBを比べながらAの利点を述べることができる。
- in that …を加えることで，AがBよりも**優位である理由**を説明できる。

＊ The model suggested by Dawkins (2003) **has the advantage over the one suggested in Wright (2001) in that** it encompasses most of the features demonstrated and discussed in the previous studies of the related fields.

③ **One of the advantages (disadvantages) of ~ is …**

- 論述の流れとして，先に〜には利点（欠点）がいくつかあることを述べておく。その上で，…が利点（欠点）の一つとして挙げられることを示すための文である。
- …の部分には that 節または名詞句を入れることができる。

④ A is advantageous (inferior) to B in that …

- ②と同様，AとBを比べながらAの利点を述べることができるが，②はAに**どのような**利点があるのかを強調する意味合いが強いのに対して，この④はBに対するAの**優位性を強調し**，その理由としてAの利点を説明する形になっている。
- AがBよりも劣位にある場合，advantageous ではなく disadvantageous を使うことも不可能ではないが，dis・ad・van・ta・geous というように音節が多いため，inferior を用いることのほうが多い。

🔊 言い換え候補単語帳

☐	**advantage** ［名詞／C］利点	benefit
		merit
		strength
☐	**disadvantage** ［名詞／C］欠点	drawback
		shortcoming
		weakness
		demerit
☐	**advantageous** ［形容詞］優位の	superior
		better
		preferred
☐	**inferior** ［形容詞］下位の	unfavorable

UNIT 27 応用できることを示唆する

A can be applied to B.

AはBに応用することができる。

■論文における用例

Although Brown (1993) claimed that the theory **can be applied to** various kinds of situations where English is taught as a foreign language, it could not escape the criticisms that it was too early to come to such a conclusion.

（大意）
　Brown（1993）は，その理論は英語が外国語として教えられているどのような状況にでも応用することができると主張したが，その結論に至るには早すぎるという批判から逃れることはできなかった。

ここが大事！

他の文献等の枠組みやモデルは積極的に引用しよう

　アカデミックな論文においては，ある理論の枠組みやモデルを取り上げ，それがどのように応用できる可能性があるのかを議論したり，それが論文の主旨とどのような関連性をもっているのかを説明したりするような議論のスタイルがとられることがあります。

　つまり，なるべくたくさんの文献にあたり，さまざまな理論の枠組みやモデルを引用するほうが，展開に奥行きが生まれ，**論文のアカデミック性が高まります**。

非常に近い表現

① ～ is also true for …
　～は…においても当てはまる。

② The same can be said about …
　…についても同じことが言える。

③ A is represented in B.
　AはBにおいて表されている。

④ A reflects B in that …
　Aは…の点からBを反映している。

バリエーション&ニュアンス

■ A can be applied to B.
・can be の代わりに be 動詞でもよいが，より**断定的なニュアンス**になるため，論文では can be のほうがよく用いられる。

① ～ is also true for …

② The same can be said about …
・also true や the same などの表現で，関連性を強調できる。
・①では，先にモデル・手本となるものを示しておき，～の部分には This などの代名詞を用いることで，**論理的な文章の流れを作る**ことができる。
・②では，The same を The same thing と言い換えることができる。

③ A is represented in B.
・A is well represented in B（A は B においてとてもよく具現されている）というように，well, significantly などの副詞を伴って用いられることが多い。

④ A reflects B in that …
・in that の後には，どのような点から A が B を反映しているのかということの説明や根拠を付記する。

言い換え候補単語帳

☐	**be applied to** ［句］適用される	be exerted on	
		be implemented in	
		be employed in	
		be utilized in	
☐	**true** ［形容詞］正当な	applicable	relevant
		pertinent	
☐	**represent** ［動詞／他］表される	illustrate	describe
		implement	symbolize
		depict	
☐	**reflect** ［動詞／他］反映する	illustrate	express
		depict	demonstrate

UNIT 28 話を展開する

Taking ~ into account, …

~をふまえると，…である。

■論文における用例

Taking these matters **into account**, the discussion now turns to what could be done to realize the situation where child labor can work and earn enough money to support themselves and their families while not giving up their education. In addition, it should also be emphasized that the discussion must extend so far as to how developed countries can be involved in bringing this change.

（大意）
　これらのことを念頭に置き，議論は，子どもの労働者が家族や自分を支えるのに十分な賃金を稼ぎながら，教育を受けることも諦めないという状況を実現するために，何ができるのかということに移る。
　それに加えさらに強調されるべきは，議論は，この変化をもたらすために先進国がどのように関わっていくべきなのかということにも広げられるべきであるということだ。

ここが大事！

論を展開させればさせるほど，結論がより強固となる

　議論を進める中では，ある話題を取り上げたら，それを大きく展開させて，**異なる視点や発展した視点**から考察を加え，そこから結論を導き出すということがしばしば行われます。

　つまり，論文における展開部は，論旨の根拠となる多くの事柄と結論とを結びつける大切な部分なのです。

　話題が広がることで多くなりがちな文章を，ここに紹介する表現を使ってきっちりとつなぎ，結論が読み手に伝わりやすい文章を組み立てましょう。

非常に近い表現

① Having ― ed 〜 , …
　〜を―したところで，…である。

② The discussion turns to 〜　[点線部参照]
　議論は〜に移る。

③ In addition, 〜　[点線部参照]
　それに加えて，〜。

④ It should also be emphasized that …　[点線部参照]
　…ということも強調されるべきである。

🔍 バリエーション&ニュアンス

■ Taking ～ into account, …
- ～の部分には具体的なものを示してもよいし，these matters, these issues, these problems などの表現を用いてもよい。
- Taking ～ into account を分詞として主節の前後に用いるだけでも，話を展開する表現となりうるが，このあとの②に示す the discussion turns to ～ の表現と一緒に用いて，話をさらに発展させることもできる。

① Having — ed ～ , …
- Having — ed ～ , の部分には，Having considered these matters や Having discussed these issues などの表現を用いるとよい。
- Having — ed ～ を分詞として主節の前後に用いるだけでも，話を展開する表現となりうるが，②の the discussion turns to ～ の表現と一緒に用いて，話をさらに発展させることもできる。

② The discussion turns to ～
- 同じような内容を示す場合に，Turning to ～ , …. のように，分詞構文を用いてもよい。

🔊 言い換え候補単語帳

☐	**take ～ into account** ［句］～を考慮する	keep ～ in mind	
		bear ～ in mind	
☐	**discussion** ［名詞／C］議論	debate	argument
		theme	
☐	**turn to** ［句］（議論が）移る	move on	take up
		direct at	point at
		change one's direction to	
☐	**in addition** ［句］加えて	furthermore	moreover
		additionally	
☐	**emphasize** ［動詞／他］強調する	note	stress
		point out	mention

UNIT 29 文と文をつなげる

In this respect, ⋯

この点で，⋯

■論文における用例

So far as "ability" is concerned, the focus of this paper is on measuring it rather than observing it. **In this respect,** in defining "what ability is", adopting competence-based approach seems perfectly feasible.

（大意）
　「能力」ということに関しては，本研究のフォーカスは能力を「観察」するというよりも「測る」ことにある。この点で，「能力」を定義するにあたり，能力型モデルを用いるのは非常に適していると考えられる。

ここが大事！

文の接続のバリエーションが少ないと，論文がだれる

　文と文をつなげる際によく使われるのは接続詞ですが，接続詞とは本来，**文と文のつながりを強調したいときに使われる**ものです。よって，文章中（特に同一パラグラフの中）で繰り返してしつこく使うと文全体が重くなり，読み手をうんざりさせてしまいます。

　押し付けがましくならないように**スマートに文をつなぐために**は，接続詞以外の接続的表現をマスターしましょう。次ページに多数紹介しています。

言い換え候補単語帳

☐	**in this respect** ［句］この点で	in this light
		in this case
		in line with this
		on this point
☐	**in this connection** ［句］これと関連して	in relation to this 〜
		related to this 〜
		pertaining to this 〜
		relevant to this 〜

■接続的表現のバリエーション

　ここでは，接続的表現のボキャブラリーを増やしましょう。接続詞以外の接続的表現は，次のように大別できます。

Ⅰ．結論へと誘導する接続的表現
In this respect, …　「この点で，…」（当 UNIT の見出し語）
・それまで述べてきた内容をもとに，**何らかの結論を出す**ために用いられる接続的表現。
・同じような働きをもつ表現に，In this light, In this case, In line with this, On this point などがある。

Ⅱ．関連することを示す接続的表現
In this connection, …　「これに関連して，…」
・それまで述べてきた内容に関連して，**新しい情報・話題を提供する**ために用いる。
・同じような働きをもつ表現に，In relation to this, …, Related to this, …などがある。

Ⅲ．印象を述べる接続的表現
It is interesting to note that …　「…に気づけたことは，興味深い」
It is shocking to see that …　「…がわかったのは，残念である」
・あとで述べる内容に対し，先に何らかの**印象（評価）を述べて**から説明を行いたいときに用いる。
・interesting や shocking の部分にあてはまる形容詞と，to note や to see の部分にあてはまる to 不定詞は，述べる内容に合わせて変える。

Ⅳ．分詞構文を用いた接続的表現
Judging from 〜 , …　「〜から判断して，…」
Considering 〜 , …　「〜を考えると，…」
Focusing on 〜 , …　「〜を集中して見ていると，…」
・あとに述べられる内容に対し，その**原因や理由を分詞構文を用いて説明する**ことで，論理的な文のつながりを作ることができる。

・Judging from **the fact that ~**, … のように，後ろに名詞句をつなげて用いる。

Ⅴ．時間的な関係を示すことができる接続的表現
Prior to ~ , … 「~に先立って，…」
Following ~ , … 「~のあとに，…」
In the course of ~ , … 「~をしている中で，…」

・「~」で説明される内容と「…」で説明される内容の**時間的な関係を示す**ことで，「…」で説明される内容に論理性をもたせることができる。

Ⅵ．条件を示すことができる接続的表現
Provided that ~ , … 「~を前提として，…」

・「~」で説明される内容を「…」で説明される内容の**条件として説明する**ことで，論理的な文のつながりを作ることができる。
・同じ意味合いの表現に，Given that ~ , … や，Granted that ~ , …がある。

コラム

知っていますか？ 文頭で用いてはいけない接続詞

学生の論文を添削していると，次の２つの禁則が意外と知られていないということがわかります。
① and / but / so / also で文を始めてはいけないということ
② because で始まる節のみでは，独立した文にはならないということ

上記の語の代わりに，文頭で用いるべき正しい接続詞は以下の通りです。

× And　　　　→○ Moreover, ／ In addition,
× But　　　　→○ However,
× So　　　　 →○ Therefore,
× Also　　　 →○ Furthermore,
× Because　 →○ S + V because S' + V'
　　　　　　　 ○ Because of ~ , S + V

UNIT 30 範囲を限定する

as far as ～ is concerned, …

～について言えば，…である。

■論文における用例

It can be concluded that, **as far as** the observations of the chemical reactions in the second phase of the experiment **is concerned**, the chemical inflicts no harm to human bodies. Therefore, it is safe to say that the chemical in question was not the cause of digestive trouble found in some of the cases.

（大意）
　実験の第2段階までの化学反応の観察を見る限りでは，この化学物質は人間の体には害を及ぼさないという結論が可能である。そのため，この物質はいくつかの症例で見られた消化器系疾患の原因ではなかったと言ってかまわないだろう。

ここが大事！

「条件」や「範囲」はいつもはっきりさせよう

　アカデミックな論文では，記述内容には正確性や厳密性が要求されます。したがって，説明したり結論を述べたりする際には，たとえば，「それがどのような条件下で有効なのか」「全ての範囲において適用できるのか」というような，「条件」「範囲」を明確にしておく必要があります。

　このような，条件や範囲の記載に慣れておくことは，記述の「観点」を述べる際にも役立ちます。より正確な論文を書くために，条件や範囲にはいつも心を払いましょう。

非常に近い表現

① with respect to …
　…に関しては

② in terms of …
　…に関しては

③ Regarding …
　…については

④ from ～ point of view
　～という観点から

バリエーション&ニュアンス

■ as far as ～ is concerned …
・as far as は so far as としてもよい。

① with respect to …
・respect の代わりに regard を用いてもよい。

② in terms of …
・ごく一般的な表現。

③ Regarding …
・regard の代わりに concern を用いてもよい。

④ from ～ point of view
・from the perspective of ～という表現を用いても同じ意味を表すことができる。

言い換え候補単語帳

☐	**as far as** ［句］～の限り	so far as
☐	**with respect to** ［句］～に関して	with regard to
		in respect of
		on the subject of
☐	**regarding ～** ［句］～について	concerning ～
		in connection with ～
		with reference to ～
☐	**from ～ point of view** ［句］～の観点	from the perspective of ～
		from the position of ～
		from the approach of ～

UNIT 31 重要なポイントを強調する

It should be noted that …

…について，強調されるべきである。

■論文における用例

It should be noted that the rapid population increase in Sub-Saharan Africa has outpaced its food productivity, though a majority of its working population is engaged in agriculture, especially crop production.

(大意)
　注目されるべきは，サハラ砂漠以南のアフリカ諸国では，人口の過半数が農業，特に穀物生産に携わっているにもかかわらず，急速な人口増加が食糧生産を上回ってしまったということである。

ここが大事！

重要論点は思い切り強調すると，読み手が理解しやすい

　論文中のさまざまな議論の中から最終結論を導き出す過程には，いくつかのポイントとなる論点があったはずです。そのような論点は，できるだけハイライトするようにすると，**読み手に親切な論文**となります。

　強調を行う上で便利な言葉としては，note，emphasize，stressなどの動詞や，important，major，primaryなどの形容詞があります。他の表現もこのあとに紹介してありますので，上手く用いて論点をくっきりさせましょう。

非常に近い表現

① What is to be noted is …
　注目されるべきは…である。

② The point is …
　ポイントは…である。

③ It is important that …
　重要なのは…である。

④ Most of all, …
　第一に，…。

バリエーション&ニュアンス

■ It should be noted that …

・… should be noted. のように能動態を用いてもよいが，**仮主語 It + that 節を用いたほうが，より「…」の部分が強調される**。

① What is to be noted is …

・is to be の代わりに should be, needs to be などの表現も可。
・be 動詞の後は that 節または the fact that …などの表現を続ける。

② The point is …

・The important point is …のように，適宜形容詞を加えることで**より強調の度合いを強める**ことができる。
・The biggest problem is …，The major concern is … のように，文脈に合うように単語を選択し，応用的に表現を用いるとよい。

③ It is important that …　④ Most of all, …

・下の単語帳でバリエーションを増やしておくとよい。

言い換え候補単語帳

☐	**note** [動詞／他] 注目する	emphasize	point out
		stress	bear in mind
		mention	refer to
☐	**point** [名詞／C] ポイント	fact	truth
		key	
☐	**important** [形容詞] 重要な	necessary	essential
		urgent	inevitable
		vital	major
		of primary importance	
☐	**Most of all,** [句] 特に大事なのは	Especially,	In particular,
		Particularly,	Above all,

166

UNIT 32 可能性とその度合いを示す

It is possible that …

…であるという可能性がある。

■論文における用例

As it is often pointed out, **it is possible that** the recent rise in the value of Euro would lead European economy to an inflation that could stagnate its sustainable growth. This, most likely, would trigger recessions in world's economy.

（大意）
　しばしば指摘されているように，最近のユーロ高の傾向は，ヨーロッパ経済の継続的な成長を停滞させるようなインフレーションを引き起こす可能性がある。これは，かなりの可能性で，世界中の景気の後退を引き起こすことになるだろう。

ここが大事！

可能性とその度合いは，助動詞などで正確に表現する

　いくつかの事実や情報から導き出される「可能性」を指摘し，さらなる議論につなげることは，論旨を作るテクニックの一つです。

　可能性の度合いを伝える表現としては，possible，probable，likely などの形容詞や，may，can などの助動詞があります。

　特に助動詞は，could や might に始まり，may と can，would と should，そして will や must まで細かく分かれていますので，使い方次第で**可能性の度合いをかなり精緻に表現する**ことができます。助動詞を用いた可能性の度合いの示し方，マスターしておいて損はありません。

非常に近い表現

① There is a possibility that …
　　…という可能性がある。

② It can be said …
　　…と言うことができる。

③ ～ can …
　　～は…する可能性がある。

バリエーション&ニュアンス

■ It is possible that …
- be 動詞の代わりに seems を用いてもよいが，be 動詞を用いたときよりも**実現の可能性が低い**ニュアンスとなる。
- possible の代わりに likely, probable などの表現も可である。possible < likely < probable の順に実現可能性が高い。

① There is a possibility that …
- 可能性が高い場合には a high possibility，低い場合には a low / slight possibility のように，適宜形容詞を加えて用いてもよい。

② It can be said …
- can の代わりとなる助動詞は，可能性の高い順に，could < might < may < can < should < will < must が挙げられる。

③ ～ can …
- can の代わりに用いることができる助動詞も多数ある。
- could < might < may < can < should = would < will < must の順に可能性が高くなる。

＊ These factors can affect how the results come out in the experiment.
訳) これらの要因が実験結果に影響を与える可能性もある。

言い換え候補単語帳

☐	**possible** ［形容詞］可能である	likely	probable
		feasible	plausible
☐	**possibility** ［名詞／C］可能性	chance	hope
		likelihood	danger
		risk	
☐	**say** ［動詞／他］述べる	state	observe
		mention	affirm
		maintain	assert
		suggest	insist

UNIT 33 推測や解釈を示す

It can be presumed that …

…と推測される。

■論文における用例

Reviewing some of the studies on people's perception of the term nationalism, **it can be presumed that** there is a close relationship between how people regard the term and the education they have received.

（大意）
　国民のナショナリズムの概念についての研究を概観してみると，国民がその定義をどのように理解しているのかということと，彼らの受けた教育とには，深い関係性があることが推測される。

☞ ここが大事！

何といっても自分の推測や解釈が，論文の基盤である

　論旨を導き出す過程では，他の文献などのさまざまな情報を取り入れて議論を重ねてゆきますが，論旨の基盤は何といっても，そうして醸成した「**自分自身の推測や解釈**」です。妥当だと思える推測や解釈に辿り着いたら，その内容は明確に述べましょう。

　左の論文サンプルにある presume や，このあと紹介する infer, interpret などの動詞を用いて，ていねいに自分の考えを表現しましょう。

⇨ 非常に近い表現

① It seems right to presume that …
　…と推測するのは正しいだろう。

② ～ leads us to presume that …
　～は，我々に…であることを推測させる／推測するように導く。

③ One interpretation of ～ is …
　～の1つの解釈として…と言える。

バリエーション&ニュアンス

■ It can be presumed that ….

- can be の代わりに is や should be などの表現を用いてもよい。
- presume は文脈によって「推測する」の意となったり，「解釈する」の意となったりする。
- … can be presumed. のように能動態でもよいが，仮主語 It + that 節を用いたほうが，より包括的なニュアンスの表現になる。
- It can be presumed from ～ that …のように from ～ を用いると，**何に基づいて推測しているのか**ということが説明できる。

* It can be presumed from the way he avoided giving a clear reply that nothing is certain at this point.

訳）彼が明確な返答を避けたことから，現時点では何も確定的でないことが推測される。

言い換え候補単語帳

☐	**presume** ［動詞／他］推測する	infer	assume
		imply	interpret
		regard	
☐	**right** ［形容詞］正しい	natural	logical
		reasonable	relevant
		practical	
☐	**interpretation** ［名詞／ U・C］解釈	speculation	perception
		explanation	understanding
		analysis	observation

UNIT 34 提案する

It is suggested that …

…と提案される。

■論文における用例

In considering the situation from both political and military perspectives, **it is suggested that** for EU to become the counterpart to US, more attention should be directed in further enhancing its ties among member countries rather than strengthening its military force.

（大意）
　政治的そして軍事的観点から考えて，EU が米国に対応できる力を持つためには，軍事力の強化よりも，EU 参加国間のつながりのさらなる向上に注意を向けることが提案される。

ここが大事！

「具体的な提案」がもたらす，論文のパワーと説得力

論旨を主張するためには，論文中で取り上げた事実などに基づき，何らかの提案を述べることが必要となってきます。

主張する際に，ただ抽象的な概念ばかりを説明しても，読み手にはなかなか伝わりづらいものですが，何らかの提案をすることで**主張内容が具体化**され，読み手も内容がわかりやすくなります。

的確な提案を盛り込むことで，論文はより論理的になり，説得のパワーも高まります。そのためにも，的確で具体的な「提案」を上手に記述するトレーニングをしましょう。

非常に近い表現

① ～ suggests that …
　～は…ということを提案している。

② ～ offers a suggestion that …
　～が…という提案をもたらす。

③ ～ should … 〔点線部参照〕
　～は…するべきである。

バリエーション&ニュアンス

■ It is suggested that …
・that 以下で提案される内容が短い場合には，次の例文のように … is suggested として，提案される内容を主語にしてもよい。

* A dramatic reform is suggested.
   訳）大々的な改革が提案される（必要である）。

・suggest, propose（単語帳参照）の後の that 節の構文は，［It is suggested / propose that S (should) ＋動詞の原型］である。

① ～ suggests that …
・「何がそのような提案を導くのか」という**提案の根拠**になる内容を主語にした表現。
・見出し語に挙げた表現が自分の意見を述べる際に使われることが多く，より**論文口調的なニュアンス**をもつのに対して，この表現は，たとえば**ほかの論文が何かを提案している**ことを示すときに使われることが多い。
・この表現では，次の例文のように，that 節の代わりに -ing で始まる句を用いてもよい。

* The article suggests promoting a dramatic reform.
   訳）その記事は大々的な改革の促進を提案している。

② ～ offers a suggestion that …
・offer の代わりに propose, render などの動詞を用いてもよい。

③ ～ should …
・助動詞で訴求。could ＜ should ＜ have to ＜ must の順に，「～するべきである」という**強制の度合いが強くなる**。

言い換え候補単語帳

☐	**suggest** ［動詞／他］提案する	propose	advise
		urge	encourage
☐	**suggestion** ［名詞／U・C］提案	proposition	idea
		hint	advice

UNIT 35 結論づける

〜 indicates that …

〜は…という結果を示している。

■論文における用例

The results from this survey **indicates that**, although the academic performance in science by Japanese students in secondary education has not diminished by any means, their interest in the subject has dropped to an appalling extent.

（大意）
　この調査の結果は，日本の中学・高校生の理科科目における学力はまったく衰えていないが，彼らの理科という科目に対する興味は驚くほど低下しているということを示している。

☞ ここが大事！

結果や結論は論文の「果実」。間違いなく収穫を！

　論文においては，調査や実験の結果分析や，それに対する考察は必ず出てきます。**考察した結果や結論を正確に述べるための表現方法**を，きちんと習得しておきましょう。

　一般的な表現として，indicate，interpret，explain などの動詞表現をここでは紹介しますが，他にも UNIT13（定義），UNIT32（可能性），UNIT33（推測や解釈）などで紹介した表現も関連がありますので，照らし合わせながらベストな表現を模索してください。

　調査，実験，そして考察を重ねて得た結論は，いうなれば論文の「果実」です。ていねいに収穫してください。

⬤ 非常に近い表現

① It is interpreted from ～ that …
　　～ということから…ということがわかる。

② ～ explains …
　　～は…を説明する。

③ ～ is considered to account for …
　　～は…を説明していると考えられる。

バリエーション&ニュアンス

■ **~ indicates that …**
- indicate の代わりに imply，signify，suggest などの動詞も可。
- 主語となる~の部分に，The results of (from) ~ / The discussion of (from) ~ / What has been observed from (by) ~などの表現を用いると，「~を考察した結果が … ということを示している」というニュアンスとなる。

① **It is interpreted from ~ that …**
- interpret という動詞は UNIT33 でも出てきた表現だが，「~と解釈される」=「~と考察される」という意味合いももつため，**結果を述べる際にも用いられることが多い**。

② **~ explains …**
- 結果をふまえた考察を述べるというよりは，**ある結果が何かの仕組みや背景などを明らかにしていることを示す**用法。

* The results explain why students show ignorance to science as a subject.
訳) この結果が，なぜ学生たちが「理科」という科目に興味を示さないかを物語っている。

- 主語となる~の部分に The results of (from) ~ / The discussion of (from) ~ / What has been observed from (by) ~などの表現を用いると，「~を考察した結果が…ということを示している」というニュアンスとなる。
- explain の代わりに account for を用いてもよい。

③ **~ is considered to account for …**
- ~ account for … (…を説明する) よりも「…を説明していると考えられる」というように，より**間接的なニュアンス**となる。

言い換え候補単語帳

☐	**indicate** ［動詞／他］示す	imply
		signify
		suggest
		hint
		connote
		reveal
		display
☐	**interpret** ［動詞／他］解釈する	imply
		speculate
		observe
		analyze
☐	**explain** ［動詞／他］説明する	account for
		describe
		clarify
		elucidate
☐	**consider** ［動詞／他］考える	assume
☐	**account for** ［句］説明する	explain
		rationalize
		represent
		justify

UNIT 36 示唆を与える

It is critical that …

…ということが重要だ。

■論文における用例

Heavy rain and thunderstorms have become a frequent occurrence in Japan, causing enormous damage. **It is critical that** experts gather their erudition to come up with ways to protect people's living environment.

（大意）
　日本では，大雨や台風が頻繁に起きるようになり，甚大な被害をおよぼしている。人々の生活環境を守るために，専門家の英知を集結することが重要になっている。

ここが大事！

社会貢献につながる「示唆」こそが，学術論文の使命

　研究において最も大切なことは，その研究成果がどのような社会貢献をもたらすのかということです。したがって，学術論文も実験調査結果の報告や，それにまつわる通り一遍の考察を行っているだけでは，その**使命**を果たしているとはとてもいえません。

　考察のあとはさらに，**当該研究がどのように社会に貢献**していくのかというところまでシミュレーションし，そのために今自分がこの論文で示唆できることは何なのかということを，明記しておく必要があります。

非常に近い表現

① More attention should be paid to the fact that …
　…ということにもっと意識が向けられるべきだ。

② The fact that … deserves more attention.
　…ということにもっと意識が向けられるべきだ。

③ It should be mentioned that …
　…ということを述べておくべきであろう。

④ … is a subject of concern.
　…は関心をひく事柄である。

🔄 バリエーション&ニュアンス

■ It is critical that …
- 示唆の内容（**何が重要なのか**）を that 節で示す。
- 「…ということが重要だ」という意味だが，特に，「今後の局面・状況を左右する要因として」というニュアンスが含まれる。例文では，日本の気候変動とそれによる被害の話から，「今後，そのような状況に対処するためには」という文脈を作るためにこの表現が使われている。

① More attention should be paid to the fact that …
② The fact that … deserves more attention.
- ①と②はほぼ同じ意味。①は注意を向けることが強調され，②は示唆の内容が強調される。
- 示唆の内容（**何に意識を向けるべきなのか**）を that 節で示す。
- 文脈としては，研究の結果，それまであまり注意が向けられていなかった要素が明らかになり，その部分について意識を高めていくことが必要だと述べるために使われる。
- attention を consideration / awareness / notice / care などで言い換えることができるが，①の場合，paid の部分に入る動詞（過去分詞形）はそれぞれの単語とコロケーション的に合致する（連語関係上，正しく熟語表現を作る）ものを選択する。
  ※ attention → pay / consideration → give / awareness → raise
  　notice → take / care → provide
- ②はすべての単語に対して deserve（…に値する，…を受けるに足る）が使える。

③ It should be mentioned that …
- 示唆の内容（**何を述べておくべきなのか**）を that 節で示す。
- 他に，… be worth mentioning. や，… be worthy of mention.（どちらも「…は述べるに値する」の意）などの表現もある。

④ … **is a subject of concern.**
・示唆の内容（**何が関心をひくのか**）を that 節で示す。
・関心をひく度合いによって，a subject of **great** concern（特に関心をひく事柄）など，concern を修飾する形容詞を加える。

🔊 言い換え候補単語帳

☐	**critical** ［形容詞］重要だ	crucial
		urgent
		essential
		important
☐	**deserve** ［動詞／他］〜に値する	be worthy of
		be entitled to
☐	**mention** ［動詞／他］言及する	state
		express
		consider
☐	**mention** ［名詞／C］言及すること	consideration
☐	**subject** ［名詞／C］話題	issue
		matter
		point
		topic
☐	**concern** ［名詞／U］関心	interest
		relevance
		significance

UNIT 37 時制によって ニュアンスを伝える ★★★

We have come to the conclusion that …

…という結論に至った。

■論文における用例

The average score of Group A on the vocabulary test came out to be much higher than that of Group B. The interpretation of this result required much discussion, but in the end, **we have come to the conclusion that** the treatment in teaching that was given to the students in Group A was indeed effective on their acquisition of new vocabulary.

（大意）

　ボキャブラリーテストにおいて，Aグループの平均点はBグループのそれよりも高い結果となった。この解釈にはかなりの議論を要したが，結果的には，Aグループに施された指導上の措置がボキャブラリー習得に効果があったという結論に至った。

ここが大事！

「時制」でニュアンスをこまやかに伝えよう

英語らしい英語を書こうとする際に，まずは語彙力，表現力，構文の使い分けなどに取り組みます。それはもちろん正解なのですが，もうひとつキーとなるものが時制です。上手く使いこなせると，細かいニュアンスまで伝えられるようになります。

特に**完了形**（have ＋動詞の過去分詞）の3つの用法（完了・継続・経験）は，過去形や現在形とあわせて，**時系列や因果関係，論理のつながりなどを読み手にメッセージできる便利な表現方法です**。これをマスターすると，今後ずっと重宝するはずです。

時制のバリエーション＆ニュアンス

■ We have come to the conclusion that … （完了）

- 現在完了形の完了用法。「～となった，完了した」の意味をもつ。
- 物事が完結したニュアンスを出せるため，それまでに何らかのプロセスがあり，その結果として起きたことを表現できる。**研究の結果や結論を述べるときに多く用いられる。**

Ⅰ. 経験

- 現在完了形の経験用法。「（遠い昔に）～したことがある」の意。
- 過去に起きたある事象や出来事が紹介されていて，それよりもさらに過去のことを述べる際に使われ，**時系列を明確に伝えなくてはならない場合**に用いられる。

＊ The number of population who **has gone** through World War II is becoming smaller year by year.

訳）第二次世界大戦を経験した人口は年々減少してきている。

---

37 時制によってニュアンスを伝える

議論のまとめに使う表現

Ⅱ. 継続
- 現在完了形の継続用法。「ずっと～してきた」という意味をもつ。
- 過去のある時点から継続されていることを述べる際に使われる。論文の場合は，原因となる出来事が過去にあり，それと現在の状況の**因果関係を示す**ために使われることが多い。

＊The citizens of the countries in the Middle East **have suffered** emotional and physical damages since the late 1940's.

訳）中東の国々の国民は1940年代後半から精神的にも身体的にも苦しみ続けている。

Ⅲ. 過去形
- すでに終わったことではあるが，完了形との比較で，
  1）それまでに積み重なるプロセスが少ない（完了用法との対比）
  2）それほど時間が経過していない（経験用法との比較）
  3）過去からの継続性がない

  などのケースで用いる。下の例の通り，**実験や調査の結果を端的に記述する**際に使われる。

＊The average score of Group A on the vocabulary test **came out** to be much higher than that of Group B.（サンプル論文中の点線部）

訳）ボキャブラリーテストにおいて，Aグループの平均点はBグループのそれよりも高い結果となった。

Ⅳ. 現在形
- 特に意味やニュアンスをもたせない場合は，論文は基本的には現在時制を用いる。
- **事実や「普遍の真理」を述べる場合**は現在形にする。
- 論文で取り上げる内容はたいていが現在の状況や動向についてであるので，現在進行形は使わず現在形で説明する。以上の説明を，次ページの例文と和訳で確認のこと。

＊ The survey **indicates** that there is a great divide in the kind of SNS (social networking services) that is used between people over 30 years old and those younger.
訳）30歳以上とそれ以下では，使用するSNSの種類に違いがあることを，調査は指摘している。

> **コラム**
>
> **先行研究について議論する時は過去形？　現在形？**
>
> 　論文中で先行研究を紹介する際に，時制に困ることはないでしょうか。先行研究を比較しながら，自分なりの議論を形成しているのは「現在」行っている作業なので現在時制を用いるべきでしょうが，一方で，先行研究が書かれたのは「過去」のことなので，その内容を紹介するためには過去時制を使う必要があるように感じます。
>
> 　先行研究について議論する際は，次のように時制を使い分けます。
>
> ①論文中で他説を引用・紹介・概説するときには，通常，現在時制を用いる。
> ＊ In an attempt to explain the pattern in how teenagers form "crowds", Grace (1999) **introduces** three key concepts: self-esteem, inter-dependency, and self-affirmation.
> 　訳）10代の青年の「群れ」を作るパターンを説明するなかで，Grace (1999) は，「自尊心」「依存心」「自己肯定力」の3つの概念を紹介している。
> ②ただし，学説史（それまでの流れを振り返るときなど）では，主節で過去形を使うこともあるが，その場合，通常は時制の一致は行われない。後半の現在時制の部分は「普遍の事実」とみなされている。
> ＊ In fact, previous studies **claimed** that such occurrences **are** extremely rare.
> 　訳）事実，先行する研究は，そのようなことが起きるのは非常にまれだと主張している。

UNIT 38 論文全体の結論を述べる

It seems natural to conclude that …

…という結論に至るのが自然であろう。

■論文における用例

Considering the significant potential of agriculture in Sub-Saharan Africa as a drive of economic development, **it seems natural to conclude that** African nations should centralize their investment in the development of agricultural infrastructure.

(大意)
　サハラ砂漠以南のアフリカ諸国の経済発展の源となる，農業における大きな可能性を考えると，それらの国々は農業生産の基盤の開発のために投資を集中させるべきだという結論に至るのは自然なことであろう。

ここが大事！

結論は簡潔第一。主語のチョイスに注意しよう

　結論を述べる際には，
①結論は簡潔に述べること
②結論に至る根拠もまた簡潔に述べること
の2つがポイントです。説明や議論はここまでで十分し尽くしているのですから，しつこい記述は不要で，簡潔第一なのです。
　ここでもう一つ注意すべきこととして，主語の選択があります。客観的な視点に立っているということを示すため，It, There, The fact that ～ などを用いましょう。IやWeなどを用いると，個人的意見のようなニュアンスとなり，台無しとなります。

非常に近い表現

① It can be seen from ～ that…
　　～より…であることは明白である。

② The fact that ～ reveals that …
　　～より，…であることは明白である。

③ ～ leads to the conclusion that …
　　～は…という結論を導く。

④ There is no doubt that …
　　間違いなく…であると言える。

🔊 バリエーション&ニュアンス

① It can be seen from ～ that …
・see の代わりに observe, note, perceive などの動詞も可。

② The fact that ～ reveals that …
・reveal の代わりに make it clear, imply, signify, suggest も可。

④ There is no doubt that …
・no doubt that … の代わりに no question about や no argument in などを用いてもよい。

🔊 言い換え候補単語帳

☐	**natural** ［形容詞］自然な	reasonable	valid
		rational	logical
		relevant	
☐	**conclude** ［動詞／他］結論づける	claim	assert
		maintain	state
☐	**fact** ［名詞／U・C］～という観察結果（事実）	observation	
		conclusion	
☐	**lead** ［動詞／他］～へ導く	induce	
		prompt	
☐	**conclusion** ［名詞／C］結論	interpretation	assumption
		suggestion	
☐	**doubt** ［名詞／U・C］疑い	question	argument
		debate	dispute

UNIT 39 今後の展望を述べる

A further study of ～ should be conducted.

～に関するさらなる研究が行われるべきである。

■論文における用例

A further study of how the difficulty of test items is determined **should be conducted.** The findings would not only contribute to the research in testing of reading but also to the research of reading ability or reading instruction.

(大意)
　テストアイテムの難易度がどのように決定されるのかということについてのさらなる研究が実施されるべきである。その研究の結果は，リーディングテストの研究だけでなく，リーディング能力やリーディング指導の研究にも貢献することであろう。

ここが大事！

研究の限界や反省点なども，未来への有益情報である

　結論の部分では，結論の記述ももちろん重要ですが，研究の限界や今後の研究への期待などを述べることも同じように重要です。研究の方法や実験手順，分析手法などを振り返り，反省点，改善できる点などがあるなら，正直に述べましょう。

　また，当該研究が今後どのように**継続されると有益か**ということにもぜひふれましょう。

　未来をもきちんと想定し，つなげようとすることで，論文の意義もより高まります。

非常に近い表現

① ～ should be studied further.
　～についてさらに研究されるべきである。

② A continuous study of ～ would demonstrate …
　～についての継続的な研究が … を明らかにする。

③ The further study of ～ would be of value to the field of …
　～についてのさらなる研究は…の分野にとって価値があるはずだ。

④ One of the limitations of this study is that …
　この研究の限界の一つは…である。

例文のバリエーション＆ニュアンス

■ A further study of ～ should be conducted.

＊A further study of how first year students perceive their role as a university student and how that changes while studying at a university should be conducted.

訳）大学１年生が学生としての自身の役割をどのように考えていて、それが大学で学ぶ中でどのように変わっていくのかに関して、さらに研究が行われるべきである。

① ～ should be studied further.

＊Possible reactions of combinations with other chemicals should be studied further.

訳）他の化学物質との組み合わせでどのような化学反応が起こるのか、さらに研究されるべきである。

② A continuous study of ～ would demonstrate …

＊A continuous study of how these changes in the climate affect the progress of global warming would demonstrate what could be done to prevent such progress.

訳）気候における変化がどのように地球温暖化の進行に影響を与えるのかについて研究を続けることが、その進行を防ぐためにどのような方策があるのかを明らかにする。

③ The further study of ～ would be of value to the field of …

＊The further study of these changes that certain genes cause in a human cell would be of value to the field of genetic engineering.

訳）特定の遺伝子が細胞の中で起こす変異についてさらなる研究が行われることは、遺伝子工学の分野において価値があるはずだ。

④ One of the limitations of this study is that …

- 研究において，うまくいかなかった点や改善すべき点などを述べるときに用いる。
- 研究の限界を述べる際は，何がうまくいかなかったのかを述べるだけでなく，その原因として考えられることや，そこから得られる新たな示唆なども説明すると，その研究が行われた意義を明確にすることができる。

* One of the limitations of this study is that we were not able to collect enough number of samples necessary for a stable outcome. Samples of data from one thousand students or more were needed for this type of statistical calculation.

訳）この研究の限界の一つは，安定した実験結果を得るために十分なサンプル数を集めることができなかったことだ。この種の統計分析には，少なくとも生徒1,000人以上のデータサンプルが必要であった。

言い換え候補単語帳

☐	**further** [形容詞] さらなる	continuous	additional
		more	
☐	**study** [名詞／U・C] 研究	research	
		observation	
☐	**conduct** [動詞／他] 行う	undertake	make
		pursue	do
☐	**study** [動詞／他] 研究する	research	observe
		investigate	inquire into
		explore	examine

☐	**further** ［副詞］さらに	continuously	more
		additionally	
☐	**continuous** ［形容詞］さらなる	further	additional
		more	
☐	**demonstrate** ［動詞／他］明らかにする	reveal	clarify
		exhibit	prove
		confirm	verify
		validate	
☐	**value** ［名詞／U］価値	worth	benefit
		profit	help
		importance	significance
☐	**field** ［名詞／C］（研究の）分野	area	
		study	
☐	**hope** ［動詞／他］願う	anticipate	
		desire	
☐	**outcome** ［名詞／C］結果	result	
☐	**use** ［名詞／C］有用な存在	value	
		worth	
		benefit	

UNIT 40 論文がもつ貢献度を示す

It is hoped that 〜 will contribute to a better understanding of …

〜が，今後の…より良い理解のために役立つことが望まれる。

■論文における用例

It is hoped that the findings that have been presented in this paper **will contribute to a better understanding of** the mechanisms of L2 reading.

(大意)
　この論文で明らかにされた研究結果が，第二言語の読解メカニズムのより良い理解に貢献することを願っています。

ここが大事！

論文の貢献度を述べてしめくくろう

　ここが論文の本当の末尾となります。ここでは，当該研究分野において，当論文がどのように**貢献する**のかを述べましょう。

　ここまでで結論の詳しい部分や根拠，研究の限界，未来へのメッセージなど，すべて述べ終わっているはずですから，詳細な記述は避け，**研究分野全体を概観する**形にまとめるのがよいでしょう。

非常に近い表現

① It is hoped that the outcome of the present study would be of some use to …
　この研究の結果が … に何らかの貢献をすることを願っている。

② This study makes a contribution to …
　この研究は…に貢献する。

③ This study makes an impact on …
　この研究は…に影響を与える。

例文で示すバリエーション&ニュアンス

■ It is hoped that ～ will contribute to a better understanding of …

・～の部分では，研究結果（the findings that have been presented in this paper / the finding in this study）を抽象的に述べてもよいし，研究結果の具体的な内容に言及してもよい。

① It is hoped that the outcome of the present study would be of some use to …

・論文の最後に用いられることが多い表現。**その論文が研究の発展に広く貢献することを願う旨を示している。**
・use の代わりに value, worth, benefit などの名詞を用いてもよい。

＊ It is hoped that the outcome of the present study would be of some use to the development of a better English education system in Japan.

訳）この研究の結果が日本におけるより良い英語教育制度の開発に，何らかの貢献をすることを願っている。

② This study makes a contribution to …

・make の他に contribution と共起する（よくセットになる）動詞としては，constitute, form, give, offer などがある。
・contribution を修飾する形容詞として，great, important, meaningful, profound, unique などを，文脈に合わせて用いることもできる。

＊ This study makes a contribution to the studies of hydrodynamics in that it defined a clear relationship between the fin's movement of a dolphin to how it could be applied in the design of propellers on a motor boat.

訳）この研究は，どのようにしてイルカのひれの動きがモーターボートのプロペラのデザインに応用できるかという明確な関係性を示したという点で，

流体力学の研究へ大きな貢献を果たした。

③ This study makes an impact on …

・impact を修飾する形容詞として，significant, great, important, meaningful, profound, unique などを，文脈に合わせて用いることもできる。

* This study makes an impact on how people regard men who take a parental leave when a baby is born in a family.

訳）この研究は，子どもが誕生した際に育児休暇を取る男性を人々がどのように見るのかということについて，影響を与えることになる。

🔊 言い換え候補単語帳

☐	**hope** ［動詞／他］願う	expect
		anticipate
☐	**contribute to** ［熟語］貢献する	arrive at
		lead to
		develop
		facilitate
☐	**better** ［形容詞］より良い	deeper
		more accurate
		clearer
		complete
		proper

> コラム

There is no royal road to Academic Writing!

　大学で Academic Writing の授業を担当していて最も多いのが，「どうしたら『論文らしい』かっこいい英語を書けるようになりますか？」という相談です。

　日常会話はそこそこできるし，E-mail のやりとりぐらいなら問題はないのに，いざ論文を書こうとすると，なかなか納得のいく単語や言いまわしが思いつかない。どうすれば表現のレパートリーが増えるのか？

　私のアドバイスは，"There is no royal road to Academic Writing!" です。

　本書のような表現集を参考にして，バラエティ豊かな表現を身につけることももちろん方法の1つです。しかし最も勉強になるのは，実際の英語論文をたくさん読み，「これは使える！」と思った表現を自分の論文中でも真似してみるということです。

　専門書でも学会誌でも，積極的に英語のものを読んでみましょう。使われている表現や構文は意外とシンプルでパターン化されたものが多いことがわかるはずです。多くの英語を読めば読むほど，パターンが自分の頭にインプットされ，いざ論文を書くときに，自然とアウトプットされるようになります。

　また，本書の「論文における用例」の部分でも，「なるべく多くの論文英語をインプットしてもらいたい」という意図から，少し長めに例がとってあります。

　何事も「学びに王道なし」。ぜひ，本書を助けに，英語のインプットを増やして，少しずつ論文執筆のための表現レパートリーを広げていってください。

第3部

形式も大事！
作成の「基本作法」を
見やすくガイド

論文英語ライティング必携資料集

論文作成の基礎知識をまとめてあります。「英語論文の一般的な構成」「書式設定」では，すべての情報に実物見本を掲載。ほか，パンクチュエーションマークの用法，参考文献の引用方法・表記ルール・リストの作り方など。どこに出しても恥ずかしくない論文を書くための正攻法のライティングガイドです。

I 英語論文の一般的な構成

第3部では，英語論文の作成にかかる「作業」そのものをガイドします。

作成は，初心者には特に骨の折れる作業と思いますので，なるべく見本を添えて見やすくまとめてみました。

英語論文の一般的な構成要素，順番は次の通りです。

①表紙　　　　　　　②著作権の明記（または白紙）
③献辞　　　　　　　④題辞
⑤目次　　　　　　　⑥図の一覧
⑦表の一覧　　　　　⑧序文
⑨謝辞　　　　　　　⑩略語の一覧
⑪用語集　　　　　　⑫要約
⑬導入　　　　　　　⑭部
⑮章　　　　　　　　⑯後註
⑰参考文献　　　　　⑱付録

（明朝体は，論文によってはないこともある項目です）

本書最後部，つまり，**裏表紙の見返し部分**に，この一覧を見やすく・詳しくまとめた表を掲載しています。迷ったときは随時裏表紙をめくって確認しながら，作業してください。

それでは，この番号順に解説してゆきます。

1 表紙 (Title Page)

下記はあくまでも一例です。表紙にどのような項目を含めるべきかは，基本的には論文の提出先の指示に従ってください。

ページ番号はまえがきのページ数に含まれますが，記入はしません。

■表紙の例

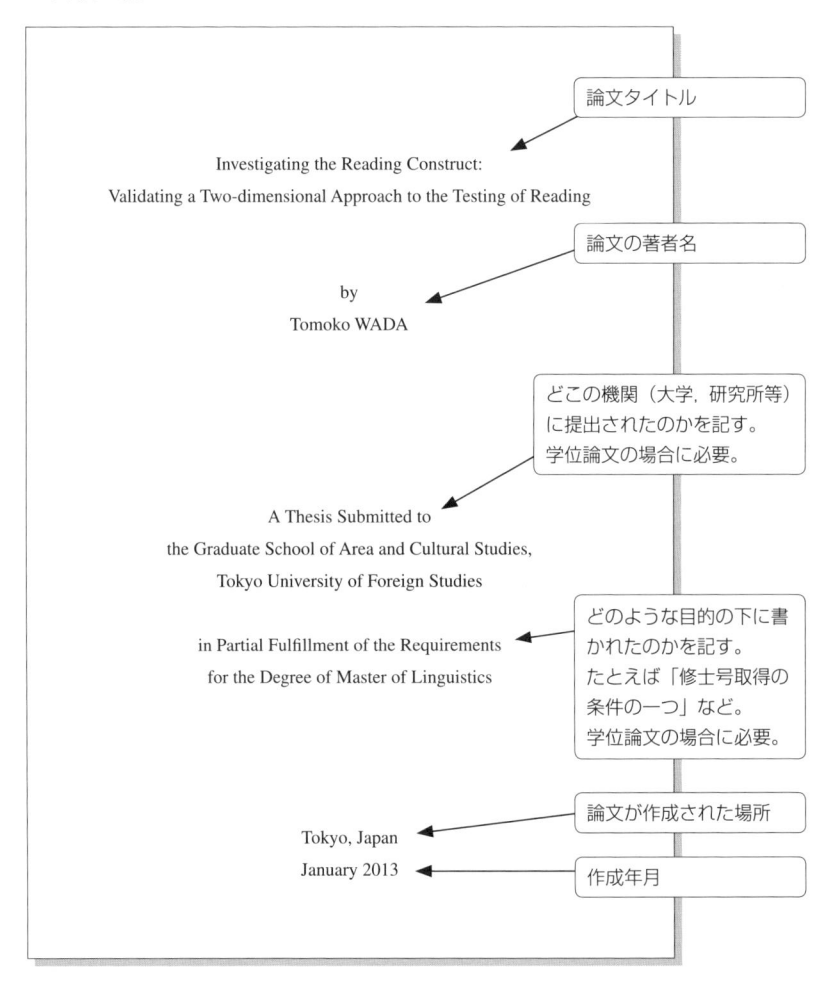

Investigating the Reading Construct:
Validating a Two-dimensional Approach to the Testing of Reading ← 論文タイトル

by
Tomoko WADA ← 論文の著者名

A Thesis Submitted to
the Graduate School of Area and Cultural Studies,
Tokyo University of Foreign Studies ← どこの機関（大学，研究所等）に提出されたのかを記す。学位論文の場合に必要。

in Partial Fulfillment of the Requirements
for the Degree of Master of Linguistics ← どのような目的の下に書かれたのかを記す。たとえば「修士号取得の条件の一つ」など。学位論文の場合に必要。

Tokyo, Japan ← 論文が作成された場所
January 2013 ← 作成年月

2　著作権の明記または白紙（Copyright or Blank Page）

　著作権（copyright）を示す場合にはこのページに記入しましょう。
　ただし，学位論文の場合には著作権を示すことはほとんどありません。また，論文に著作権が記されていなくても，他者がそれを引用する場合には，必ず出典を明記することが義務づけられています。怠ると盗作と見なされます。
　不要な場合はこのページは白紙となります。ここに白紙が1枚入ることで，表紙ページに次のページが透けることを防ぎます。

■著作権の明記の例

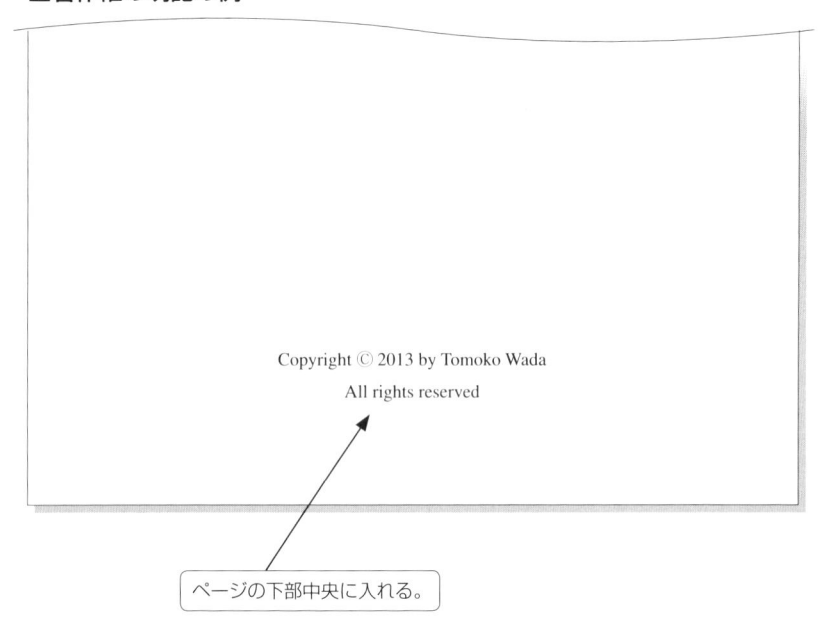

Copyright © 2013 by Tomoko Wada
All rights reserved

ページの下部中央に入れる。

3 献辞 (Dedication)

　この論文をだれに捧げるのかを記入します。
　このあと（項目9，P 210）に「謝辞」もありますので，ここでは簡潔に自分の両親や配偶者などの家族，親しい友人など，非常に親しい人物の名前を挙げるのが一般的です。

■献辞の例1（祖母あて）

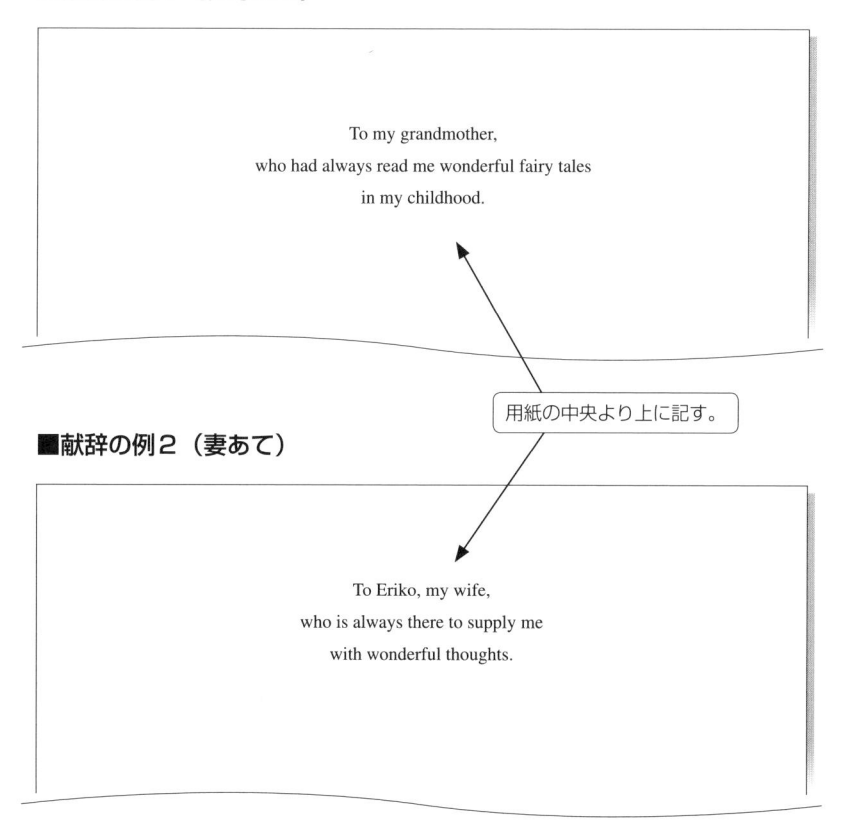

> To my grandmother,
> who had always read me wonderful fairy tales
> in my childhood.

用紙の中央より上に記す。

■献辞の例2（妻あて）

> To Eriko, my wife,
> who is always there to supply me
> with wonderful thoughts.

4 題辞（Epigraph）

　論文に書かれている内容のヒントとなるような一節を引用します。
　「遊び」の部分ですので，研究内容と深く関わるというよりは，「しゃれ」が利いているようなものを選びます。

■題辞の例

> PORTIA (*to Shylock*)
> Therefore prepare thee to cut off the flesh.
> Shed thou no blood, nor cut thou less nor more
> But just a pound of flesh. If thou tak'st more
> Or less than a just pound, be it but so much
> As makes it light or heavy in the substance
> Or the division of the twentieth part
> Of one poor scruple --- nay, if the scale do turn
> But in the estimation of a hair,
> Thou diest, and all thy goods are confiscate.
> 　　　　　　　　　--- William Shakespeare　*The Merchant of Venice*

Negishi ("The Latent Trait Structure" 1)

　上記の例は，シェークスピアの『ベニスの商人』からの一節を引用し，題辞としています。ここで引用された一節は，「『1ポンドの肉とは何か？』という非常に簡単そうなことでも，定義をするのは難しい」という主旨の内容です。
　これを題辞としている Negishi の論文は，「リーディング能力とは何か？」ということを研究した論文です。この一節を題辞にすることにより，「物事を定義することの難しさ」ということがテーマであることを予告する形をとっているのだと言えるでしょう。

5 目次 (Table of Contents)

題辞のページまでに含まれた項目は目次の中には入れません。

■目次の例

> 表紙，Copyright (Blank Page)，Dedication，Epigraph は目次には含めない。

Table of Contents

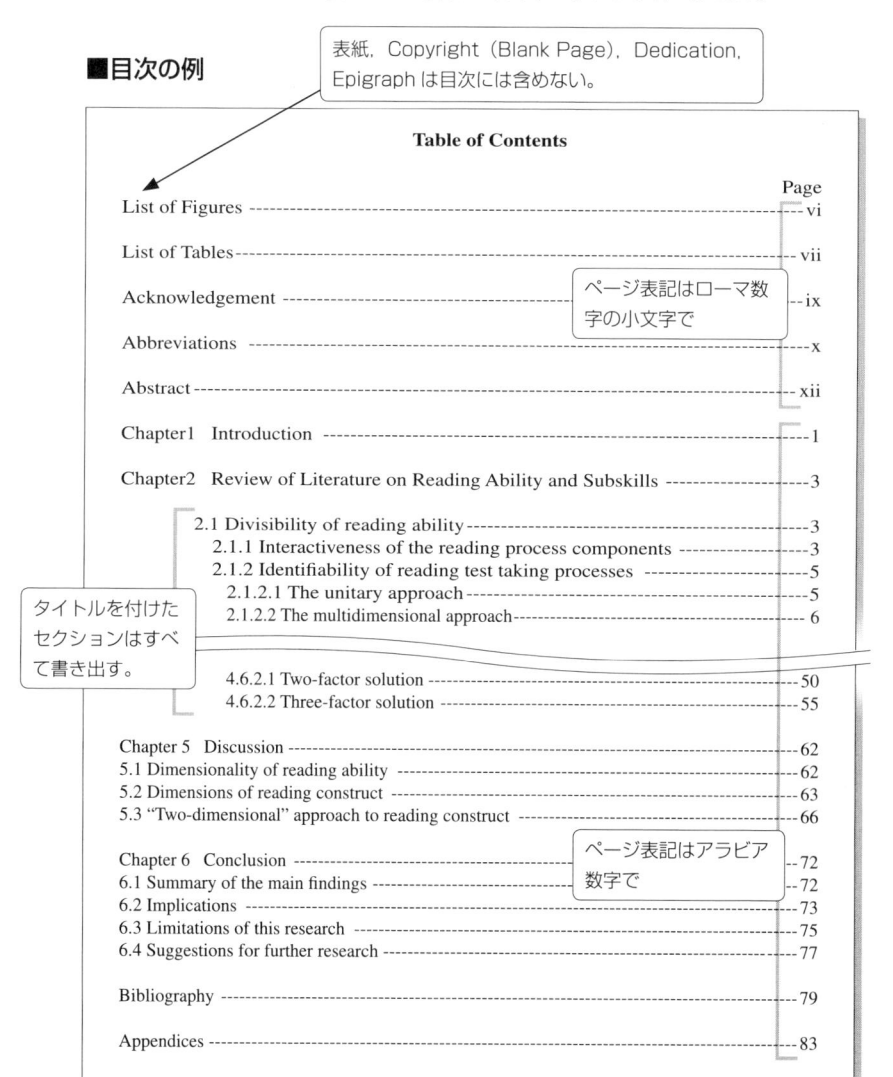

	Page
List of Figures	vi
List of Tables	vii
Acknowledgement	ix
Abbreviations	x
Abstract	xii

> ページ表記はローマ数字の小文字で

Chapter1　Introduction ------- 1
Chapter2　Review of Literature on Reading Ability and Subskills ------- 3

　　　2.1 Divisibility of reading ability ------- 3
　　　　2.1.1 Interactiveness of the reading process components ------- 3
　　　　2.1.2 Identifiability of reading test taking processes ------- 5
　　　　　2.1.2.1 The unitary approach ------- 5
　　　　　2.1.2.2 The multidimensional approach ------- 6

> タイトルを付けたセクションはすべて書き出す。

　　　　　4.6.2.1 Two-factor solution ------- 50
　　　　　4.6.2.2 Three-factor solution ------- 55

Chapter 5　Discussion ------- 62
5.1 Dimensionality of reading ability ------- 62
5.2 Dimensions of reading construct ------- 63
5.3 "Two-dimensional" approach to reading construct ------- 66

Chapter 6　Conclusion ------- 72
6.1 Summary of the main findings ------- 72
6.2 Implications ------- 73
6.3 Limitations of this research ------- 75
6.4 Suggestions for further research ------- 77

Bibliography ------- 79

Appendices ------- 83

> ページ表記はアラビア数字で

6　図の一覧（List of Figures）

論文中に含まれる図がそれぞれ，何章にどのような番号で掲載されているのかを，掲載されている順番どおりに示します。

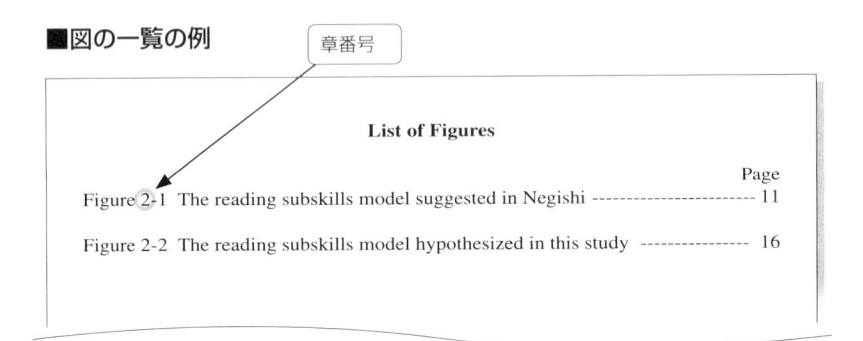

■図の一覧の例

[章番号]

List of Figures

　　　　　　　　　　　　　　　　　　　　　　　　　　　　　　　Page
Figure 2-1　The reading subskills model suggested in Negishi ------------------------ 11

Figure 2-2　The reading subskills model hypothesized in this study ---------------- 16

7　表の一覧（List of Tables）

論文中に含まれる表がそれぞれ，何章にどのような番号で掲載されているのかを，掲載されている順番どおりに示します。

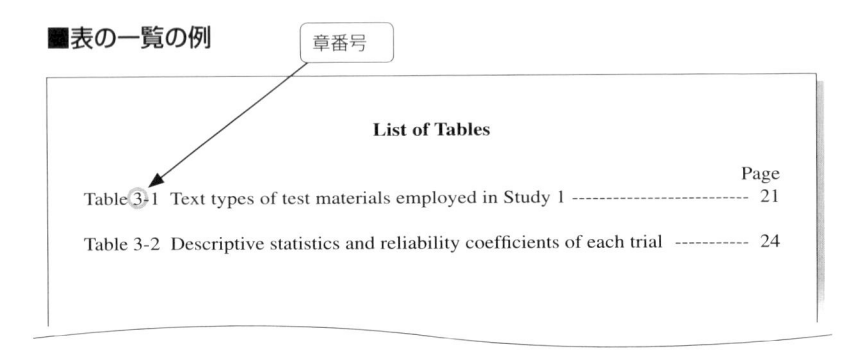

■表の一覧の例

[章番号]

List of Tables

　　　　　　　　　　　　　　　　　　　　　　　　　　　　　　　Page
Table 3-1　Text types of test materials employed in Study 1 --------------------------- 21

Table 3-2　Descriptive statistics and reliability coefficients of each trial ----------- 24

8 序文（Preface）

研究の動機や背景，目的などを簡潔に述べます。

■序文の例

> **Preface**
>
> The present study was carried out with the hope to give a light to the discussion of how a reading ability can be described in a model. Whether and how reading ability is broken down into component skills is an issue which has long been left unsolved. This paper takes up this issue and attempts to identify how test items in standardized English reading tests can be categorized from the perspective of what sort of reading process test items elicit.
>
> The validation study in language testing field is a common practice which ...

（訳）

　この研究は，どのようにすれば英語のリーディング能力をモデル化することができるのかという問題に，一つのヒントとなり得る見解を提供することを目的に行われました。リーディング能力の次元性についての議論は，長らく決着を見ないまま今日に至っています。そこで，この論文では，標準化された英語テストのリーディング問題を，それらがどのようなリーディング能力を問うているのかという観点から分類することを試み，その次元性を検証しています。

　言語テスト論の分野では，テストの妥当性の検証は日常的に行われており，…

9 謝辞（Acknowledgements）

論文の作成に際して，協力を得た人や機関などに感謝の意を表します。奨学金や助成金などを受けて書いた論文の場合も，ここにその旨を記します。

■謝辞の例

> **Acknowledgements**
>
> First of all, I should like to express my deepest gratitude to Dr. Masashi Negishi, my supervisor, for his constant encouragement and guidance throughout ...
>
> I am extremely grateful to 305 students at ABC Senior High School who willingly participated in the study and provided invaluable data. Without their contribution, ...

（訳）
　まず初めにだれよりも，私の指導教官である根岸雅史先生に最大の感謝の意を述べたいと思います。先生にはいつも，論文執筆に関しては叱咤激励をいただき…

　研究過程におけるデータ収集に関しては，特に，データ収集に協力してくださったABC高等学校の305人の生徒に感謝したいと思います。彼らの協力なしでは…

10　略語の一覧（List of Abbreviations）

論文中に頻出する略語を一覧にして掲載します。

■略語の一覧の例

> **List of Abbreviations**
>
> DIF -- differential item functioning
> ELT --English Language Teaching
> FL --foreign language

11　用語集（Glossary）

論文中に頻出する用語を一覧にし，簡潔に説明をします。長さの目安としては，通常は2行程度，長くても4行くらいまでが標準的です。論文によっては，あとがきに含める場合もあります。

■用語集の例

> **Glossary**
>
> differential item functioning.---A feature of a test item that shows up in a statistical analysis as a group difference in the probability of answering that item correctly.
>
> facility value.---The extent to which a test or test item is within the ability range of a particular candidate or group of candidates.

12　要約（Abstract）

　論文の要約を掲載します。学位論文の場合には1ページから2ページの間くらいのボリュームが一般的です。学会誌などへの投稿論文であれば，200〜250 words が適正と思われます。
　また，論文の提出先によっては，字数の制限や掲載の位置などの指示がある場合がありますので，確認するようにしましょう。

■要約の例

Abstract

　Whether and how reading ability is broken down into component skills is an issue which has long been left unsolved. The problem seems to lie in the fact that previous researchers used taxonomies which classified reading subskills in a distinctive manner and ignored the fact that there could be an unlimited number of subskills on a continuum. The apparently conflicting results reported in the literature can be better explained when a different approach is taken to identifying subskills in reading. The present study takes up this issue and attempts to identify how test items in standardized English reading tests can be categorized from the perspective of what sort of reading process test items elicit.

（訳）

　リーディング能力は多次元的なものであると考えてよいのか，そして多次元的だとするならば，どのような下位能力が考えられるのか，という議論は未だ結論を見ていない。この問題を解決する鍵はリーディング能力の下位能力をどのようにとらえ，モデル化するのかというところにある。この論文では，標準化された英語試験問題を分析することで，この問題に対するなんらかの答えを模索する。（※大意）

13 導入 (Introduction)

　本文の始まりには Introduction が置かれます。
　Introduction からは，それまでのまえがきと区別するためにページ番号をローマ数字からアラビア数字に変え，1ページ目（Page 1）から始めます。

■導入の例

Chapter 1
Introduction

　　In the field of English Language Teaching, whether it is in a pedagogical environment or in a research environment, many situations exist where some sort of assessment has to be undertaken. In such cases, it is the responsibility of the teacher or the researcher to come up with a 'good' test that allows for accurate measurements of testees' English abilities.

　　This applies to many of the English Language Teaching situations in Japan, too. In Japan, the practice of testing students' reading ability traditionally had taken the form of translation where students were asked to put certain amount of English in a passage into its Japanese translation ...

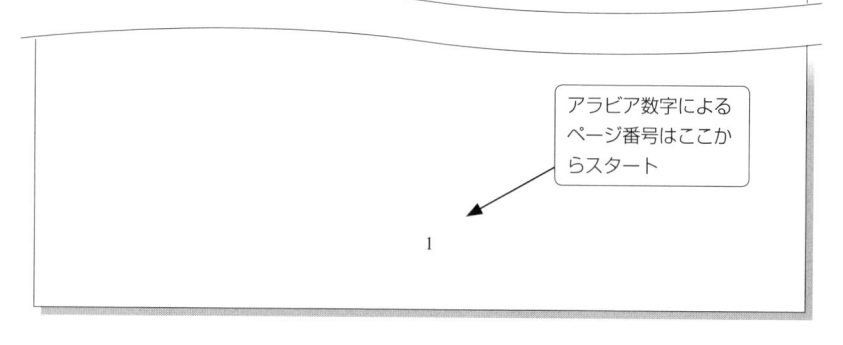

1

> アラビア数字によるページ番号はここからスタート

14 部 (Part)

　論文を第1部,第2部のように分ける場合には,それぞれの初めにタイトルページを設けます。

■部のタイトルページの例

Part I. Overview

Part V. Study 2

15　章 (Chapter)

それぞれの章は，新しいページから始まります。

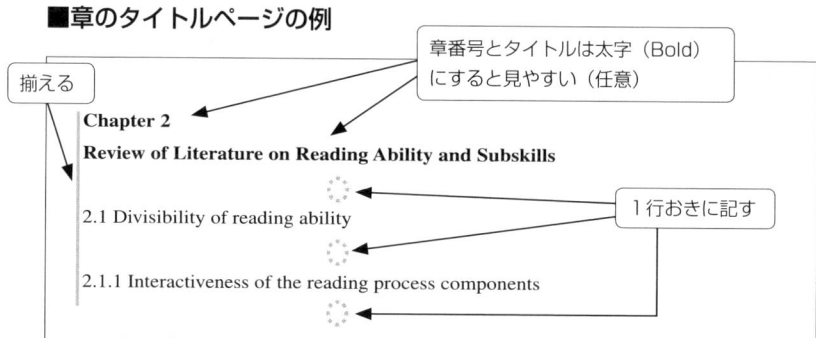

■章のタイトルページの例

> 章番号とタイトルは太字 (Bold) にすると見やすい (任意)
>
> 揃える
>
> 1行おきに記す

Chapter 2
Review of Literature on Reading Ability and Subskills

2.1 Divisibility of reading ability

2.1.1 Interactiveness of the reading process components

　　A reading skill can be described as a cognitive ability that a person is able to use when interacting with written texts (Urquhart and Weir 88). When reading is taking place, there is simultaneous extraction and construction of message from the written text (Bernhardt 2). More specifically, Grabe identifies following components in the process of reading: orthographic processing, phonological coding, word recognition, working memory activation, sentence parsing, propositional integration, propositional text-structure formation, comprehension strategy use, inference making, and text model reinterpretation as a mental model (13). Though there may be slight differences, many researchers seem to suggest similar components in the process of reading (e.g., Alderson 37; Bernhardt 98; Negishi 69). ...

16　後註（Endnote）

　ここからは「あとがき」です。

　論文中に註をつける場合には，本文の右肩に肩付き文字で番号を示し，Endnote のセクションで註の内容を記します。

　番号は，短い論文の場合には通し番号でふりますが，長い論文の場合には章ごとに番号をふり直します。

■後註の例

◎本文中のマーク

> Things may be about to change, however. One reason for this is that the growing prominence of assessment as a policy issue has served to greatly increase the level of professional interest in, and understanding of, assessment.[3] Moreover, the need to achieve ever greater levels of participation in education as part of 'lifelong learning' has focused unprecedented interest on the nature of learning itself. Assessment for learning, or even assessment as learning (Earl 3) has now become an intense focus of interest internationally.

◎後註

> [3] A good example in this respect is the international assessment conference with the theme 'Beyond Intuition', which took place in Bergen, Norway in 2004.
>
> Broadfoot (133)

17 参考文献（Bibliography）

参考文献の記載方法については，P 226 以降で詳しく説明します。

■参考文献の例

> References や Works Cited と記しても可

> 3文字分

Bibliography

Alderson, J. Charles. "Testing Reading Comprehension Skills. (Part 1)" <u>Reading in a Foreign Language</u> 6.2 (1990): 425-438.

Alderson, J. Charles. "Testing Reading Comprehension Skills. (Part 2)" <u>Reading in a Foreign Language</u> 6.3 (1990): 465-483.

Alderson, J. Charles. "Responses and Replies: J.C. Alderson Responds." <u>Language Testing</u> 12.1 (1995): 121-125.

Alderson, J. Charles. <u>Assessing Reading</u>. Cambridge: Cambridge University Press. 2000.

Alderson, J. Charles. and Lukmani. Yasmeen. "Cognition and Reading: Cognitive Levels as Embodied in Test Questions." <u>Reading in a Foreign Language</u> 5.2 (1989): 253-270.

Bachman, Lyle. F. and Palmer, Andrew S. "The Construct Validation of Some Components of Communicative Proficiency." <u>TESOL Quarterly</u> 16.4 (1982): 449-465.

Bernhardt, Elizabeth. B. "A Psycholinguistic Perspective on Second Language Literacy." <u>AILA Review</u> 8 (1991): 31-44.

Bernhardt, Elizabeth. "If Reading Is Reader-Based, Can There Be a Computer-Adaptive Test of Reading?" <u>Issues in Computer-Adaptive Testing of Reading Proficiency</u>. Ed. Micheline Chalhoub-Deville. New York: Cambridge University Press, 1999. 1-10.

> 文献と文献の間は常に1行空ける

18 付録（Appendix）

　調査の中で使用した質問紙や分析結果の詳細な数値などで，本文に含まれないものは，最後にまとめて掲載します。下記の例のように，付録が2つ以上ある場合は表題が複数形（Appendices）となります。

　付録の最初には，付録の内容の一覧表を付します。

■付録の例（一覧表と，それに対応するそれぞれの付録）

Appendices

Appendix #1　　Test items of Trial 1, Trial 2, and Trial 3
Appendix #2　　Tetrachoric correlations of Trial 1, Trial 2, and Trial 3
　　　　　　　　　　　・
　　　　　　　　　　　・
　　　　　　　　　　　・

Appendix B: Tetrachoric correlations of Trial 1, Trial 2, and Trial 3

II 英語論文の書式設定

　ページの書式については，論文の提出先が詳しく指定している場合がほとんどですので，確認してそれに従ってください。

　書式についての一般的な注意事項を挙げておきます。なお，本書最後部（裏表紙の見返し部分）に書式設定見本を掲載してあります。

■**用紙**
　A4サイズ（21cm × 29.7cm）を使用します。

■**書体**
　Times Roman を用いるのが慣例です。

| 12 ポイント |
| ABCabc |
| 10 ポイント |
| ABCabc |

■**文字の大きさ**
　本文には 12 ポイント，註には 10 ポイントを使用します。

■**行間**
　ダブルスペース（1行おきに書くこと）を使用するのが慣例です。
　A4サイズの用紙では，1ページに28～30行ほどが適当です。

■**マージン**
　マージン（余白）は，上下左右ともに約 3.0cm（1インチ）取ります。

■**インデント**
　パラグラフの先頭は1タブ分（3～5文字分）空けます。長い引用を行う際には，10文字分空けます。

■章立て

章立ての方法は，基本的には２パターンあります。

◎パターン１

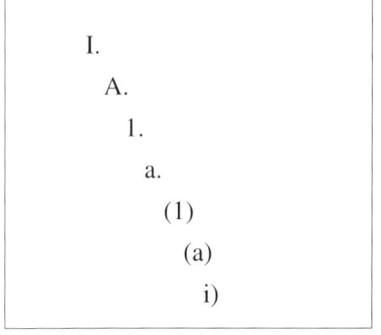

```
    I.
      A.
        1.
          a.
            (1)
              (a)
                i)
```

数字とアルファベットを交互に増やしていく方式です。数字のランクはI→1→(1)→i)の順になり，アルファベットはA→a→(a)となります。

◎パターン２

```
    1.
      1.1
        1.1.1
          1.1.1.1
            1.1.1.1.1
```

数字の枝番を増やしていく方式です。

■手書きはＯＫ？

　最近は長文を手書きで記す人は少ないでしょう。本書のこの項目も，みなさんがワープロかタイプで打たれることを前提に解説しています。
　海外の留学先における提出論文は，やはりタイプ（ワープロ含む）が原則です。手書きは受け取らないという教官も少なくないようです。

III パンクチュエーションマークの用法

　日本語に句読点やカギカッコがあるように，英語にも記号がいくつかあります。それらの総称をパンクチュエーションマークと言います。
　長文を緻密に構成することが求められる論文においては，誤用は命取りとなります。ここではマークの役割や正しい使い方を解説します。

■ピリオド（.）

①平叙文などの文末に記す　　　　②略語の末尾に記す

| I am a student. |

| Mister → Mr. |

③引用文などの省略部分に３つ連ねて記す（P 229 参照）

■コンマ（,）

①語句を３つ以上並列する際にそれぞれの区切りに用いる

| Russia, China, and Japan are maintaining a stabilized relationship at the moment. |

②等位接続詞（and, or …）の前に用いる

| The new law will be enacted, and a great improvement is expected. |

③文頭の接続副詞が導く句のあとに用いる

> However, we should make every effort to retain a sustainable growth.

④主節の前に従属節を入れる場合，そのあとに用いる

> If this is true, some other measures have to be taken.

⑤挿入句の前後に用いる

> The company, with its new leader, will make a breakthrough.

⑥非制限的用法において，関係詞節の前後に用いる

> The president, who was rumored to be ill, appeared in the meeting.

⑦直接話法のつなぎとして用いる

> It was clearly stated, "The rules are to be followed."

⑧日付，住所の記載に用いる

> The conference was to be held on July 20, 2007, in Tokyo, Japan.

■コロンとセミコロン（：，；）

①コロン（：）は例示や補足や引用（P 229 参照）の際に用いる

> The way of life has changed greatly with the advent of modern inventions: cellphones, computers, internet, etc.
> （'the advent of modern inventions' の例として，3品目を追記）

②セミコロン（；）は節をつなぐ際に用いる

> Some mistakes are hard to find; they are often left uncorrected.

「コロンは付け加える，セミコロンは並列につなぐ」と憶えましょう。

■コーテーションマーク（シングル・ダブル）

　ダブルコーテーションマーク（" "）が優先的に使われます。引用部分や，作品などの表題や，目立たせたい定義などの前後を囲みます。

> Many fans of Raymond Carver would name "Cathedral" as their favorite piece.

　シングルコーテーションマーク（' '）は，ダブルコーテーションマークで囲まれた中をさらに囲みたいときに用います。シングルコーテーションマークが単独で使用されることは原則としてありません。

> It was mentioned, " 'Manga' is now a well-recognized form of culture all over the world."

■アポストロフィ（ '）

①所有格を示す

| Rockwell's House |

②省略形を示す

| It is → It's |

③複数形を示す

| 「A が 3 つ」→ three A's |

④年代を示す

| 1970 年代 → 1970's |

■丸形カッコ（パーレン）

日本語における用法とほぼ同じです。出典を示すとき，省略語の正式名称を併記するとき（下記参照），具体例を示したいときなどに用います。

| Most students in Japan are studying in English in an EFL (English as a foreign language) environment (Wada 36). |

また，3つ以上の事項を整理して列挙したいときには，(1), (2), ・・・とカッコ付き数字で順番に記してゆきます。

| It attacks Alderson ("Testing Reading Part 1") from three perspectives: (1) discriminability of the reading test employed in the study being low, (2) construct validity of the reading test employed being low, and (3) the lack of explicitness in the interpretations of the subskills described. |

■ハイフン (-)

　行末で単語が途中で区切れる場合，そこ（行末）に記します。ハイフンは，単語の音節に従い，音節の区切りに付します。

> His lecture was mostly about what was written in the book, it was still very inter-esting to hear him talk in real.

　また，a three-month-old baby のような複合語や，日本語文献名をローマ字表記した際の言葉の区切り（"The Tale of Gen-ji"）などにも用いることがあります。

■ダッシュ (—)

　ワープロでは，ハイフンを2つ打つとダッシュとなります。具体例や補足を加えるときに用います。

> There are several English proficiency tests that are popular in Japan – STEP (Eiken), TOEIC, TOEFL – to name a few.

■下線

　書籍，雑誌，新聞等の名称を示したい場合や，特定の語句を強調したいときに用います。イタリック書体もほぼ同等の使い方をされます。

> Many English learners in Japan use <u>TIME</u> to brush up their English reading skills.

IV　参考文献を引用する

■先行研究の取り扱いには注意を要する

　英語論文の「形式」を一通り学んだところで，「⑰参考文献」（P 217）をもう少し掘り下げます。
　参考文献の取り入れ方やその表示の仕方は，論文の質そのものを大きく左右する，非常に重要な事柄です。論文というものは，独自の主観で書き上げることはできません。つねに先行研究を調べ，その上に自分の研究を重ね合わせ，その結果にさらに自分なりの考察を加えることで，自分の論旨を形作っていきます。そのときに重要になるのが，先行研究をどのように取り入れるのかということです。

■2つの引用方法——Paraphrasing と Quoting

　先行研究の引用の仕方には大きく分けて2つあります。
①先行研究の内容を言い換えて論文中に引用する方法（Paraphrasing）
②先行研究の文言をそのままに論文中に引用する方法（Quoting）

　どちらを選択するかは自由ですが，選択するときに大切なのは，「その先行研究を引用するのは，なぜなのか」ということを考えることです。

① Paraphrasing の利点
　先行研究の内容やその要旨を自分の言葉で端的にまとめることで，自分の論文の論点からずれずに，論文の流れを進めることができます。
　また，自分の言葉でまとめることで，同時にいくつかの論文にまとめて言及することも可能になります。

② Quoting の利点

　先行研究で述べられた内容を特に強調して引用し，自身の論点と結び付けたい場合に，先行研究の文言そのものをそのまま引用することで，より強く印象づけることができます。

　どちらの方法を採るか，決め手は「自分の考え」です。
・自分の論旨の流れを大事にしたいのか
・引用しようとしている先行研究の内容を強調したいのか
　このように，引用を行う目的を見つめ直し，明確化することが必要です。

■引用の仕方を誤ると…「盗作」

　どちらの方法で引用する場合でも，中途半端な形で取り上げてその先行研究の本来の論旨を壊してしまったり，自分がベースにした先行研究にまるで触れずに論文を終わらせてしまったりという行為は盗作（Plagiarism）と呼ばれ，絶対に行ってはならない行為です。
　せっかく書いた論文が盗作とならないように，正しい方法に従って参考文献を明示しましょう。

■ MLA と APA

　文献の明示方法は数多くありますので，それぞれの研究分野でも最もよく使われているスタイルを用いるとよいでしょう。また，学会誌などに投稿する場合には，その学会で明示方法を定めている場合がほとんどですので，確認しておきましょう。
　代表的な方法は Modern Language Association（MLA）と American Psychological Association（APA）の2つです。ただし両者は類似点も多いため，本書ではMLA方式のみを解説し，APA方式はMLA方式と異なる部分だけをP231〜233にまとめて示します。

■ MLA 方式による参考文献引用

① Paraphrasing の場合
・引用を行った文の最後（ピリオドの前）にカッコ書きでページ番号（pの文字は不要）を記す。
・著者名が本文中に出てこない場合には，カッコ書きの中は（著者のラストネーム＋ページ番号）となる。

> ［著者名が本文中に出てくる場合］
> Blais and Laurier claims that reading subskills would be better described if they are thought to line up in a continuum, rather than a taxonomy (78).
>
> ［著者名が本文中に出てこない場合］
> Reading subskills would be better described if they are thought to line up in a continuum, rather than a taxonomy (Blais and Laurier 78).

② Quoting の場合
◎引用が短い場合（40 words 未満）
・引用部分をダブル・コーテーションマーク（" "）で囲む。
・文または引用部分の最後にカッコ書きでページ番号（pの文字は不要）を記し，ピリオド（文の途中であればコンマなど）を打つ。
・著者名が本文中に出てこない場合，カッコ書きの中は（著者名＋ページ番号）となる。

> ［著者名が本文中に出てくる場合］
> Negishi claims, " 'subtraits' are much smaller in number than reading skills as conventionally listed in the literature" (131).

> [著者名が本文中に出てこない場合]
> It seems reasonable to accept that " 'subtraits' are much smaller in number than reading skills as conventionally listed in the literature" (Negishi 131).

◎引用が長い場合（40 words 以上）
- 引用部分に切り替わるところでコロンを打ち改行する。
- 改行後は本文より 2.4 センチ（もしくは 10 文字）落として打ち始める。
- 引用部分の行間・字詰めは本文と同じ。パラグラフ文頭を下げる必要はない。
- カッコ書きのページ番号等は引用部の末尾，ピリオドの後に記す。

> Lumley, in his reply to Alderson's response to Lumley's paper, states:
> ↗ ... (t)he notion that it is not the 'existence' of these skills that is central but that we may use them as a working construct, for lack of anything is useful. The problem exists of how it might be possible to make any clear statement concerning what it is that a particular test, or version of a test, does test. (128)

■その他の留意事項

①原文を一部省略する場合
省略箇所にピリオドを３つ打つ。各ピリオドの間と前後は１スペースずつ空ける。上の例文の矢印を参照のこと。

②原文に変更を加える場合
原則として原文に勝手な変更を加えてはならないが，例外のケースとその対処法をまとめておく。

◎原文がコーテーションマークを含む場合

そのままだと同じマークで二重に囲むことになってしまうため，引用文中のコーテーションマークをダブル（" "）からシングル（' '）に変える。Negishi (131) の原文では，

> It seems that "subtraits" are much smaller in number than reading skills as conventionally listed in the literature.

と記されていたが，それを quoting で引用すると，このようになる。

> Negishi claims, " 'subtraits' are much smaller in number than reading skills as conventionally listed in the literature" (131).

◎原文に誤りと思える部分がある場合

直さずに，誤りの直後に (sic) と挿入。「原文のまま」の意となる。

> Student A wrote, "I had refarred (sic) to the first sentence of the passage."

◎原文の一部を強調する必要がある場合

強調箇所を下線で示し，その文末のページ表記の後に，セミコロンとともに (Underlining is mine) と挿入。

> Sasaki had reinterpreted Bachman and Palmer's term as "<u>the amount of text information used</u> for completing the test item" (316; Underlining is mine).

◎原文が代名詞を含む場合
代名詞の直後に、それが示すものをブラケット（[ ]）で囲んで挿入。

> Lumley had insisted, "It [Mumby's list] still could not escape the criticisms" (127).

■ APA 方式による参考文献引用（MLA 方式との相違点のみ）

① Paraphrasing の場合
・著者名が本文中に出てくる場合には、著者名の後ろにカッコ書きで発行年を記し、引用を行った文の最後（ピリオドの前）にカッコ書きでページ番号（p. も表記）を記す。
・著者名が本文中に出てこない場合には、引用を行った文の最後（ピリオドの前）にカッコ書き（著者のラストネーム、発行年, p. ページ番号）。

> ［著者名が本文中に出てくる場合］
> Blais and Laurier (1995) claims that reading subskills would be better described if they are thought to line up in a continuum, rather than a taxonomy (p.78).
>
> ［著者名が本文中に出てこない場合］
> Reading subskills would be better described if they are thought to line up in a continuum, rather than a taxonomy (Blais and Laurier, 1995, p. 78).

② Quoting の場合
◎引用が短い場合（40 words 未満）
・著者名が本文中に出てくる場合には、著者名の後ろにカッコ書きで発行年を記し、引用を行った文の最後（ピリオドの前）にカッコ書きでペー

ジ番号（p. も表記）を記す。
・著者名が本文中に出てこない場合には，引用を行った文の最後（ピリオドの前）にカッコ書きで（著者のラストネーム，発行年，p. ページ番号）を記す。

> [著者名が本文中に出てくる場合]
> Negishi (1996) claims, " 'subtraits' are much smaller in number than reading skills as conventionally listed in the literature" (p.131).
>
> [著者名が本文中に出てこない場合]
> It seems reasonable to accept that " 'subtraits' are much smaller in number than reading skills as conventionally listed in the literature" (Negishi, 1995, p.131).

◎引用が長い場合（40 words 以上）
・著者名の後ろにカッコ書きで発行年を記し，引用を行った文の最後（ピリオドの後）にカッコ書きでページ番号（p. も表記）を記す。

> Lumley (1995), in his reply to Alderson's (1995) response to Lumley's (1993) paper, states:
>> ... (t)he notion that it is not the 'existence' of these skills that is central but that we may use them as a working construct, for lack of anything is useful. The problem exists of how it might be possible to make any clear statement concerning what it is that a particular test, or version of a test, does test. (p.128)

■その他の留意事項

①原文に変更を加える場合

◎原文に誤りと思える部分がある場合
　直さずに，誤りの直後に [sic] と挿入。ブラケットで囲み，イタリック体にする。「原文のまま」の意となる。

> Student A wrote, "I had refarred [sic] to the first sentence of the passage."

◎原文の一部を強調する必要がある場合
　強調箇所をイタリック体で示し，その直後に [italics added] と挿入する。挿入部分はブラケットで囲み，やはりイタリック体にする。

> Sasaki (1993) had reinterpreted Bachman and Palmer's (1982) term as "*the amount of text information used* [*italics added*] for completing the test item" (p.316).

■参考文献リストの作り方（MLA，APA共通）

　参考文献は，論文において非常に重要な情報です。下記のルールに従って記載します。

①位置など
・論文の最後（「あとがき」の部分）に置く。
・引用した文献をすべて掲載する。

②順序
・著者の姓のアルファベット順に記載。ファーストネームはイニシャルのみ。
・同じ著者の複数文献を引用した場合は古いものから挙げる。
・同じ著者の共著と単著を引用した場合は単著を先に挙げる。

③視覚要素
・書式・書体は論文本文と同じにする。
・個々の文献を，2行目以降はインデントする。
・書籍名や雑誌名はイタリック体または下線で記す。

④記載すべき情報
・一般的書籍の場合は，「著者姓名」「文献のタイトル・サブタイトル」「出版社所在地と名称」「発行年度」「ページ番号」を記載。編集された書籍内の論文である場合は，上記に加えて論文タイトルと編集者姓名を記す。
・雑誌掲載論文の場合は，「論文のタイトル」「雑誌名とその巻数・号数」「発行年度」「ページ番号」となる。

■記載時のスタイル（MLA）

①タイトル
　Works Cited, References, Bibliography のいずれかを用います。本書では Bibliography に統一しています。

②著者名
　姓（Last name），名（First name），あれば Middle name の順に記します。姓はすべて表記します。名および Middle name に関しては，元の文献に記載されているとおりに（つまり，元の文献で名や Middle name がイニシャルで省略されている場合は省略したまま，省略されていなければ省略しないで）表記します。

③文献の表題と副題

内容語（名詞，動詞，形容詞，副詞，従属接続詞）は大文字で始め，機能語（冠詞，前置詞，等位接続詞，不定詞の to）は文頭以外は小文字で始めます。

副題は表題の次にコロンを打ち，1スペース空けて続けます。

論文の表題と副題は両者をまとめてダブルコーテーションマークで囲みます。書籍・雑誌の表題と副題は下線もしくはイタリック体にします。

④出版社名など

出版社の所在地は都市名で記載します。場合によっては国名（日本なら Japan）もそのあとに記します。

⑤特殊なケース

学術雑誌掲載論文，複数著者，同一著者の複数参考文献などの記載例は P 237 の見本を参考にしてください。ここではその他の特殊なケースで頻繁に見かけるものを紹介しておきます。

・複数の版が存在する文献の場合，どの版を使用したかを明記したい場合は，本の表題の後ろ（ピリオドの後ろ）に 7th ed. のように追記する。

> Grellet, F. Developing Reading Skills. 2nd ed. Cambridge: Cambridge University Press. 1991.

・編集された本の中に含まれた1つの章の場合には，まず章の表題にダブルコーテーションマークを付し，次に本のタイトルを下線もしくはイタリック体で示し，編集者の名前，出版社所在地：名称，発行年，章のページ番号を明記する。

> Bernhardt, Elizabeth. "If Reading Is Reader-Based, Can There Be a Computer-Adaptive Test of Reading?" Issues in Computer-Adaptive Testing of Reading Proficiency. Ed. Micheline Chalhoub-Deville. New York: Cambridge University Press, 1999. 1-10.

・英語以外の言語の本には表題の英訳を，原題の後ろに [　] で囲んで添える（日本語の場合には，まずローマ字で日本語の表題を記し，その後に [　] で囲んで英訳を添える）。

> Negishi, M. "Yomi-no-Chikara-wo-Dou-Hyouka-Suru?" [How Should We Evaluate Reading Ability?] Eigo-Kyouiku-Jiten (Dictionary of English Language Teaching). Ed. ALC Press. Tokyo: ALC Press, 1997. 44-49.

・インターネット等の情報を用いた場合は，自分がアクセスして当該情報を得た日付とそのURLを明記。オンライン・ジャーナルなどであれば，著者名，共著者名，刊行物表題，ページ番号や発行日など，判明している情報はできる限り記載する。末尾に＜　＞で囲んだURLを記し，そのあとに アクセス日を記す。

> Benesse Corporation: View 21 (High School Edition). 2002.10. <http://www.view21.jp/beri/open/kou/view21/2002/html10_01.html>. Accessed 2004 Dec 8.

■参考文献一覧のサンプル（MLA）

> APA なら References となる。

Bibliography

Alderson, J. Charles. "Testing Reading Comprehension Skills. (Part 1)" Reading in a Foreign Language 6.2 (1990): 425-438.

Alderson, J. Charles. "Testing Reading Comprehension Skills. (Part 2)" Reading in a Foreign Language 6.3 (1990): 465-483.

Alderson, J. Charles. "Responses and Replies: J.C. Alderson Responds." Language Testing 12.1 (1995): 121-125.

Alderson, J. Charles. Assessing Reading. Cambridge: Cambridge University Press. 2000.

Alderson, J. Charles. and Lukmani, Yasmeen. "Cognition and Reading: Cognitive Levels as Embodied in Test Questions." Reading in a Foreign Language 5.2 (1989): 253-270.

Bachman, Lyle. F. and Palmer, Andrew S. "The Construct Validation of Some Components of Communicative Proficiency." TESOL Quarterly 16.4 (1982): 449-465.

Bernhardt, Elizabeth. B. "A Psycholinguistic Perspective on Second Language Literacy." AILA Review 8 (1991): 31-44.

Bernhardt, Elizabeth. "If Reading Is Reader-Based, Can There Be a Computer-Adaptive Test of Reading?" Issues in Computer-Adaptive Testing of Reading Proficiency. Ed. Micheline Chalhoub-Deville. New York: Cambridge University Press, 1999. 1-10.

Blais, J. and Laurier, M.D. "The Dimensionality of a Placement Test from Several Analytical Perspectives." Language Testing 12.1 (1995): 72-98.

Chalhoub-Deville, M. Issues in Computer-Adaptive Testing of Reading Proficiency. Cambridge: Cambridge University Press. 1999.

Davis, F.B. "Research in Comprehension in Reading." Reading Research Quarterly 3 (1968): 499-545.

Freedle, R. and Kostin, I. "The Prediction of TOEFL Reading Item Difficulty: Implications for Construct Validity." Language Testing 10.2 (1993): 133-170.

Gernbacher, M.A. Language Comprehension as Structure Building. Hillsdale, NJ: Lawrence Erlbaum Associates Publishers. 1990.

> 論文・記事の場合は何もしない。
> APA なら雑誌や本の表題と副題はイタリック体か下線処理にする。

日本語キーワード索引

◇本書に掲載されている英語表現を，日本語訳から大まかに検索できます。
◇単語の順序は原則として**本文掲載順（＝重要度の高い順）**です。
◇論文作成上，キーとなると思われる項目を太字にしています。

利用法
　ここにあるキーワードをそのままつなぎ合わせてもよい英文は書けません。
＊該当するページを参照し，ニュアンスや用法を確認する
＊キーワードをさらに英英辞典でひくなどして，より深いニュアンスを確認する
　などの手順への「入り口」として，このページを利用してください。

あ

明らかな　▶ evident, clear, obvious, apparent（130）
明らかにする　▶ demonstrate, reveal, clarify, exhibit, prove, confirm, verify, validate（195）
明らかになる（128 ～ 132）
アクション型（15, 19 ～ 21）
（～に）値する　▶ deserve, be worthy of, be entitled to（183）
（～の）あとに　▶ Following ～（160）
アポストロフィ（224）
表される　▶ represent, illustrate, describe, implement, symbolize, depict（153）
現れる　▶ appear, be indicated, be shown, be illustrated, be described（127）
アンケート調査用紙　▶ questionnaire form（122）

い

言う　▶ say, claim, assert, insist（132）
イタリック（225, 233, 237）
（意見の一致に）至る　▶ reach, see（65）
一部～だからである　▶ partly because（142）
一部の研究　▶ some studies, several studies, a few papers（61）
一部の研究者たち　▶ some researchers（61）
一連の（スタイル）　▶ line, style, fashion（119）
一致する　▶ same, identical, matching, parallel, equivalent（109），agree with, coincide with, correspond with, match with, conform with, be consistent with, be equivalent with（111）
引用する（116 ～ 119）

う

疑い　▶ doubt, question, argument, debate, dispute（190）
疑わしい　▶ doubtful, debatable, arguable, questionable, dubious（91）
（議論が）移る　▶ turn to, move on, take up, direct at, point at, change one's direction to（156）

え

英英辞典（41 〜 42）
英和活用辞典（48）
APA（231 〜 233）
描く　▶ illustrate（19, 85, 115）, describe, depict, portray（85）, exemplify, represent, demonstrate, show（115）
MLA（227 〜 231, 233 〜 237）
円グラフ　▶ pie chart（127）

お

応用する（151 〜 153）
起こす　▶ cause, lead, trigger, promote, inspire, provoke, induce, bring about（138）
行う　▶ conduct, undertake, make, pursue, do（194）
同じ意見をもつ　▶ have the same opinion, hold the same claim / position / attitude, share the same attitude / view / opinion（88）
同じようである（少々異なる点があってもよい）　▶ similar（110）
同じように　▶ In the same way, likewise, correspondingly（111）
思い出す　▶ remember, memorize（27）
主に〜だからである　▶ mainly because（142）
折れ線グラフ　▶ line graph（127）

か

概観する（58 〜 61）
解釈　▶ interpretation, speculation, perception, explanation, understanding, analysis, observation（172）
解釈する　▶ interpret, imply, speculate, observe, analyze（179）
下位の　▶ inferior, unfavorable（150）
概要を示す　▶ summarize, give an outline of, outline, sum up（126）
改良／改良する　▶ improvement / improve（19）
（〜の）限り　▶ as far as, so far as（163）
確立する　▶ establish, initiate, build, show, confirm, exhibit（61）
形・型　▶ form, kind, sort, type（102）
価値　▶ value, worth, benefit, profit, help, importance, significance（195）

可能性（**167 ～ 169**）
可能性　▶ possibility, chance, hope, likelihood, danger, risk（169）
可能である　▶ possible, likely, probable, feasible, plausible（169）
（～することを）可能にする　▶ enable, allow（143 ～ 146）
～から（そう）なる　▶ result from, be caused by, occur from, be brought about by（135）
考える　▶ consider, notice, observe, examine, account, note, assume（102, 179）
（～を）考えると　▶ Considering ～（159）
観察結果　▶ fact, observation, conclusion（190）
観察する　▶ observe, measure, monitor, analyze, examine（123）
関して　▶ with respect to, with regard to, in respect of, on the subject of（163）
関心　▶ concern over, interest in, question about, consideration into（57, 183）, relevance, significance（183）
（～の）観点　▶ from ～ point of view, from the perspective / position / approach of ～（163）
（これと）関連して　▶ in this connection, in relation to this, related to this, pertaining to this, relevant to this（158）
関連づけられる　▶ be attributed to, be associated with（138）

き

器具　▶ instrument, equipment（123）
期待する　▶ hope, expect, predict, estimate（27）
気づく　▶ recognize, realize, notice（27）
疑問（**92 ～ 95**）
疑問　▶ question, skepticism, suspicion, doubt, distrust（95）
疑問にされる　▶ question, dispute, argue（95）
却下する　▶ reject, decline, turn down, discard, rebuff, abandon（91）
強調する（**80, 164 ～ 166**）
強調する　▶ emphasize, note, stress, point out, mention（156）
興味を示す　▶ show an interest, pay attention, show concern, show an enthusiasm, show a passion（57）
許可する　▶ allow, admit（25）
極端な例　▶ extreme example（114）
議論　▶ discussion, debate, argument, theme（156）
議論する　▶ discuss, talk about, debate, examine, explore, study, point out, mention（57, 71, 74）, deal with（57, 74）, analyze, express（71）, investigate, demonstrate, seek（74）
議論の余地がある　▶ controversial, unsolved, unanswered, unsettled, debatable, arguable, at issue（65）

く

Quoting（226 〜 232）
駆除する ▶ eliminate, get rid of（21）
グラフ ▶ graph, chart（126 〜 127）
加えて ▶ in addition, furthermore, moreover, additionally（156）

け

計測する ▶ observe, measure, monitor, analyze, examine（123）
結果（133 〜 135）
その結果 ▶ Consequently, As a result, Thus, As a consequence, Hence, Accordingly（135）
結果 ▶ outcome, result（26, 195）, effect, consequence（26）
（〜という）結果になる ▶ result in, end in, lead to, trigger（135）
欠点 ▶ disadvantage, drawback, shortcoming, weakness, demerit（150）
結論（176 〜 179, 188 〜 190）
結論 ▶ conclusion, interpretation, assumption, suggestion（190）
結論づける ▶ conclude, claim, assert, maintain, state（190）
原因（136 〜 138）
原因 ▶ cause, reason, grounds, base（138）
（〜が）原因で ▶ Due to 〜, As a result of, Because of, Owing to, Thanks to（138）
（〜の）原因になる ▶ be held responsible for, be charged with, be blamed for（138）
見解 ▶ view, opinion, position, claim, approach（95）
見解が一致している／いない（86 〜 91）
見解が一致している ▶ unarguable, agreeable（88）
研究 ▶ study, research（68, 74, 194）, paper, thesis（74）, observation（194）
研究する ▶ study, research, observe, investigate, inquire into, explore, examine（194）
言及する ▶ mention, say, state, express（81）, refer to, mention, describe, signify（99）, mention, state, express, consider（183）
言及すること ▶ mention, consideration（183）
研究論文 ▶ thesis, paper, study（74）
献辞 ▶ Dedication（205）
現象 ▶ phenomenon, occurrence, event, case, circumstance（115）
検証手順（120 〜 123）

こ

効果（143 〜 146）
貢献する，貢献度（196 〜 199）
貢献する ▶ contribute to, arrive at, lead to, develop, facilitate（199）

後註　▶ Endnote（216）
広範な議論　▶ great / much / increasing discussion,
　　great concern / interest / attention（56）
（〜を）考慮する　▶ take 〜 into account, keep 〜 in mind, bear 〜 in mind（156）
試みる　▶ endeavor, attempt, undertake（68）
（〜とは）異なる　▶ different from, contrastive to（107）
この点で　▶ in this respect / light / case, in line with this, on this point（158）
根拠　▶ reason, explanation, justification, argument（142）

さ

最後に　▶ at last, finally（103）
最適の　▶ perfect, excellent, ideal, model, good（115）
（〜に）先立って　▶ Prior to 〜（160）
削減する　▶ reduce, cut down（21）
〜させる　▶ **make**（144 〜 148）
さらなる　▶ further, continuous, additional, more（194 〜 195）
さらに　▶ further, continuously, more, additionally（195）
参考文献　▶ Bibliography, References, Works Cited（217）

し

示唆する（180 〜 183）
支持する　▶ support, back up, advocate, prove, verify（88）
時制（184 〜 187）
自然な　▶ natural, reasonable, valid, rational, logical, relevant（190）
実験器具　▶ test instrument（122）
実験反証性　▶ falsifiability（121）
実験方法（120 〜 123）
実施する　▶ undertake, do, conduct, administer, carry out, direct（74）
（〜を）している中で　▶ In the course of 〜（160）
指摘する　▶ point out, show, indicate, draw attention（81）
指摘する，述べる　▶ point out, mention, note, suggest, conclude,
　　draw attention to, indicate, identify, claim（119）
示す　▶ indicate（126, 127, 132, 179）, show（126, 127, 132）, illustrate（127）,
　　describe（126）, suggest,（127, 179）, imply, reveal（132, 179）,
　　demonstrate（132）, signify, hint, connote, display（179）
謝辞　▶ Acknowledgements（210）
収集する　▶ gather, collect, converge, cluster, assemble（123）
（〜を）集中して見ていると　▶ Focusing on 〜（159）
（論文の）重要性　▶ significance（69 〜 71）
重要性　▶ necessity（71）
重要だ　▶ critical, crucial, urgent, essential, important（183）

重要な ▶ important, necessary, essential, urgent, inevitable, vital（71, 166）, indispensable（71）, major, of primary importance（166）
主題（論旨） ▶ Thesis Statement（72 〜 74）
主張 ▶ claim, proposition, view, idea, theory, assertion（91）
主張する ▶ maintain（41）, suggest, argue, contend, allege（61）, claim, assert, maintain, insist（61, 81）, affirm（81）
（当然の権利として）主張する ▶ claim, maintain, assert, insist（39 〜 41）
受動態（35 〜 38）
種類 ▶ kind, group, type, sort, genre, style（76）
順序（100 〜 103）
章 ▶ Chapter（215）
状況 ▶ situation, condition, setting（56）
証拠 ▶ evidence, proof, explanation, verification（95）
詳細に ▶ closely, in detail, carefully, exhaustively, thoroughly（71）
使用する ▶ use, employ, utilize, adopt（123）
情報を追加する（80）
証明する ▶ prove, confirm, verify（61, 132）demonstrate, show, find, validate（61）, certify（132）
序数詞（100 〜 103, 113）
助動詞（168 〜 169, 175）
序文 ▶ Preface（209）
調べる ▶ investigate, research, enquire, explore（68）
親切である ▶ beneficent（20）
真である ▶ true, correct, valid（111）

す

図 ▶ diagram（126）
推測する（170 〜 172）
推測する ▶ presume, infer, assume, imply, interpret, regard（172）
数値もしくは図表 ▶ figure（126）
図の一覧 ▶ List of Figures（208）
（研究を）する ▶ do, conduct, publish, undertake, complete, comprise, make, pursue（68）

せ

正当な ▶ true, applicable, relevant, pertinent（153）
接続的表現（157 〜 160）
絶対に〜だからである ▶ definitely because（142）
説明 ▶ account, explanation, clarification, description, justification（95）
説明する（82 〜 85）
説明する ▶ explain, say, state（85）

(理由原因を）説明する　▶ accounts, consider, regard, view（85）
説明する　▶ explain, account for, describe, clarify, elucidate, rationalize, represent, justify（179）
セミコロン（223）
(〜を）前提として　▶ Provided that 〜, Given that 〜, Granted that 〜（160）

そ

属する　▶ belong to, be included in, be classified in, be categorized in（76）
存在する　▶ exist, prevail, occur, can be found, can be the case（56）, lie, exist, be present（65）

た

題辞　▶ Epigraph（206）
対して　▶ On the contrary, By contrast, Conversely（106）
(〜と）対照的に　▶ in contrast to 〜, contrary to 〜（107, 119）, in contrast with 〜（107）
態度　▶ attitude, claim, position, opinion, perspective, approach（111）
態度, 考え方　▶ manner, fashion, approach, style, perspective（111）
代名詞（32 〜 34）
高まる　▶ rise, arise, grow, heighten, increase, intensify, spread（57）
(〜することを）助ける　▶ help（144 〜 146）
正しい　▶ true, valid, agreeable, unarguable（88）, right, natural, logical, reasonable, relevant, practical（172）
立場　▶ position, claim, standpoint（61）, attitude, approach（61, 119）, perspective（119）
立場をとる　▶ take the approach, hold the claim, make the claim（61）
ダッシュ（225）
多分〜だからであろう　▶ probably because（142）
足りない　▶ be lacking, be absent（65）

ち

注意を向ける　▶ notice, observe, note, consider, remark, study（102）
注目する　▶ put one's focus on 〜, focus, emphasize, concentrate on, zoom into, pay attention to（74）, note, emphasize, point out, stress, bear in mind, mention, refer to（166）
著作権　▶ Copyright（204）

つ

(〜に）ついて　▶ regarding 〜, concerning 〜, in connection with 〜, with reference to 〜（163）
次に　▶ next, then, after that（103）

て

提案 ▶ suggestion, proposition, idea, hint, advice（175）
提案する（173 〜 175）
提案する　▶ suggest, propose（175, 119）indicate, demonstrate, advocate, express, take, adopt, point out, mention, conclude（119）, advise, urge, encourage（175）
定義する（96 〜 99）
定義する　▶ define（85, 99）, interpret, outline（85）, term, describe, stipulate（99）
提示する　▶ provide, supply（95, 132）, give, contribute, offer, layout（95）, bear, adduce, present（132）
訂正する（80）
手薄である，手薄さ（66 〜 68）
適用される　▶ be applied to, be exerted on, be implemented in, be employed in, be utilized in（153）
適例　▶ excellent example, apt example（114）
（論を）展開する（154 〜 156）
典型例　▶ common example, typical example（114）
展望（191 〜 195）

と

〜ということになる　▶ follow, come to, develop, proceed, arise（135）
〜というのは　▶ in that（139 〜 142）
同一である　▶ same（110）
盗作　▶ Plagiarism（227）
導入　▶ Introduction（213）
導入する　▶ implement（16）
特に大事なのは　▶ Most of all, Especially, In particular, Particularly, Above all（166）
特筆する　▶ note, refer to, mark（81）

な行

なぜならば　▶ because（140 〜 142）
似ている　▶ alike, comparable, homogeneous, almost identical（109）
認識する　▶ admit, acknowledge, confess（25）
願う　▶ hope, anticipate（195, 199）, desire（195）, expect（199）
残る　▶ remain, persist, abide, arise, be evoked, be brought up, be posed（95）
述べる（78 〜 81）
述べる　▶ say, state, observe, mention, affirm, maintain, assert, suggest, insist（169）

は行

パーレン（224）
廃止する　▶ abolish, do away with（21）
ハイフン（225）
Paraphrasing（226〜232）
パラレリズム（50）
範囲を限定する（161〜163）
反映する　▶ reflect, illustrate, express, depict, demonstrate（153）
パンクチュエーションマーク（221〜225）
反対する　▶ oppose, argue with, object to, resist, challenge, take a position against, hold a different view from（91）
（〜から）判断して　▶ Judging from 〜（159）
（〜）番目は／番目に　▶ first, second, third, fourth（103）
反論する（80）
（〜と）比較して　▶ in comparison with 〜, compared with 〜（107）
比較・対照する（104〜107）
被験者　▶ subject, participant（123）
批判　▶ criticism, attack, excoriation（65）
批判する（94）
表　▶ table（124〜127）
評価する　▶ recognize（25）
表紙　▶ Title Page（203）
表の一覧　▶ List of Tables（208）
標本　▶ data, sample（123）
ピリオド（221）
部　▶ Part（214）
不定詞 + that 節（35〜38）
付録　▶ Appendix（218）
分詞構文（32〜34, 142, 156）
分野　▶ field, area, study（56, 195）
分類する（75〜77）
分類する　▶ classify, group, categorize, organize（76）
ポイント　▶ point, fact, truth, key（166）
棒グラフ　▶ bar graph（127）

ま行

未解答である　▶ unanswered, unsettled, unresolved, disputable, debatable（95）
（〜へ）導く　▶ lead, induce, prompt（190）
認める　▶ accept, agree（91）
無視している　▶ disregard（20）

無生物主語（**15，28 ～ 31，118，135**）
明確にする　▶ clarify, make clear（85）
珍しいちょっと変わった例　▶ unique example, rare example（114）
目次　▶ Table of Contents（207）
目的　▶ objective, aim, purpose, focus, goal, target（74）
もしかしたら～だからかもしれない　▶ possibly because（142）
問題点を指摘する（62 ～ 65）
問題（点）　▶ problem, difficulty, trouble, complication, obstacle, predicament（65）

や行

優位の　▶ advantageous, superior, better, preferred（150）
有用な存在　▶ use, value, worth, benefit（195）
用語集　▶ Glossary（211）
要素・要因　▶ factor, matter, issue, problem, point（102）
要約　▶ Abstract（212）
より良い　▶ better, deeper, more accurate, clearer, complete, proper（199）

ら行

力説する　▶ insist（40）
利点　▶ advantage（147 ～ 150），benefit, merit, strength（150）
略語の一覧　▶ List of Abbreviations（211）
理由　▶ reason, cause, motive, purpose, aim, intention, objective（142）
（～な）理由により　▶ for ～ reason（96）
理由を述べる（139 ～ 142）
類語辞典（42 ～ 45）
例　▶ example, instance, case, illustration（115）
例を挙げる（112 ～ 115）
連語辞典（45 ～ 48）
論旨　▶ Thesis Statement（72 ～ 73）

わ行

和英辞典（39 ～ 41）
分かる　▶ find out, understand（27）
話題　▶ subject, issue, matter, point, topic（183）

英語キーワード索引

◇第2部の「言い換え候補単語帳」で取り上げた英語表現と，第1部・第3部の解説文中で扱った単語や表現を中心に収録しています。
◇**太字**の単語は，「英語論文学習者必須」として著者が選定したものです。
◇第2部登場語句については，「言い換え候補単語帳」のページ番号を記してありますので，そこからユニット内の関連事項の解説にアクセスしてください。

A

abandon…91
(List of) Abbreviations…211
abide…95
abolish…21
Above all, …166
(be) absent…65
Abstract…212
Accordingly, …135
account…85，95，102，179
take into account…156
(more) accurate…199
acknowledge…25
Acknowledgements…210
(in) addition…156，160
additional(ly)…156，194，195
adduce…132
administer…74
admit…25
adopt…123
advantage(ous)…**147~150**
advice…175
advocate…88，119
affirm…81，169
after that…103
(take a position) against…91
agree…**86~88**，91，111

agreeable…88
aim…74，142
allege…61
allow…25，**144~146**
analysis…172
analyze…71，123，179
anticipate…195，199
apparent…130，132
appear…127
Appendix (Appendices)…218
(be) applied to…153
applicable…153
approach…61，95，111，119，163
area…56，195
arguable…65，91
argue…61，91，95
argument…142，156，190
arise…57，95，135
arrive at…199
As a consequence,…135
As a result, / of…135，138
as far as…163
assemble…123
assert…40，41，61，81，132，169，190
assertion…91
(be) associated with ~…138
assume…172，179

assumption…190
at last…103
attack…65
attempt…68
attention…56 ～ 57, 119
(draw) attention to…81
attitude…61, 88, 111, 119
(be) attributed to ～…138

B

back up…88
bar graph…127
base…138
bear…132, 156, 166
because…138, **140 ～ 142**, 160
belong to…76
beneficent…20
benefit…150, 195
better…150, 199
Bibliography…217
(be) blamed for ～…138
Bottom-Up…103
bring about…138
(be) brought about by…135
(be) brought up…95
build…61
By contrast, …106

C

carefully…71
carry out…74
case…115
(can be the) case…56
categorize…76
cause…135, **138**, **142**
certify…132
challenge…91
chance…169
change one's direction to…156
Chapter…215

(be) charged with ～…138
chart…126, 127
circumstance…115
claim…41, 61, **78 ～ 81**, 88, 91, 95, 111, 119, 132, 190
clarification…95
clarify…85, 179, 195
classify…**76**
clear…130, 132, 199
closely…71
cluster…123
coincide with…111
collect…123
come to…135
common example…114
compared with ～…107
(in) comparison with ～…107
complete…68, 199
complication…65
comprise…68
concentrate on…74
concern…56, 57, 163, 183
conclude…119, 190
conclusion…190
condition…56
conduct…68, 74, 194
confess…25
confirm…61, 132, 195
conform with…111
(in this) connection…158, 159
connote…179
(As a) consequence, …135
consequence(ly)…26, 135
consider…85, 102, 179, 183
consideration…57, 183
Considering, …159
(be) consistent with…111
contend…61
continuous(ly)…194, 195

249

(On the) contrary, ⋯106
contrary to⋯107, 119
(in) contrast to ∼⋯107, 119
contrastive to ∼⋯107
contribute (to)⋯95, 199
controversial⋯65
converge⋯123
Conversely, ⋯106
Copyright⋯204
correct⋯111
correspond with⋯111
correspondingly⋯111
(in the) course of ∼⋯160
critical⋯183
criticism⋯65
crucial⋯183
cut down⋯21

D

danger⋯169
data⋯123
deal with⋯57, 74
debatable⋯65, 91, 95
debate⋯57, 71, 74, 156, 190
decline⋯91
Dedication⋯205
deeper⋯199
define⋯85, **96** ∼ **99**
demerit⋯150
demonstrate⋯61, 74, 115, 119, 132, 153, 195
depict⋯85, 153
describe⋯85, 99, 126, 127, 153, 179
description⋯95
deserve⋯183
desire⋯195
(in) detail⋯71
develop⋯135, 199
diagram⋯126

different from ∼⋯91, 107
difficulty⋯65
direct (at)⋯74, 156
(change one's) direction to⋯156
disadvantage⋯**147** ∼ **150**
discard⋯91
discuss⋯57, 71, 74
discussion⋯56, 156
display⋯179
disputable⋯95
dispute⋯95, 190
disregard⋯20
distrust⋯95
do⋯21, 68, 74, 194
doubt⋯95, 190
doubtful⋯91
drawback⋯150
dubious⋯91
Due to ∼ **,**⋯138

E

effect⋯26
eliminate⋯21
elucidate⋯179
emphasize⋯74, 156, 166
employ⋯123, 153
enable⋯**143** ∼ **146**
encourage⋯175
end in⋯135
endeavor⋯68
Endnote⋯216
enquire⋯68
(show an) enthusiasm⋯57
(be) entitled to⋯183
Epigraph⋯206
equipment⋯123
(be) equivalent with⋯111
Especially, ⋯166
essential⋯71, 166, 183
establish⋯61

250

estimate⋯27
event⋯115
evidence⋯95
evident⋯130, 132
(be) evoked⋯95
examine⋯57, 71, 74, 102, 123, 194
example⋯115
(apt / common / excellent / extreme / rare / typical / unique) example ⋯114
excellent⋯115
excoriation⋯65
exemplify⋯115
(be) exerted on⋯153
exhaustively⋯71
exhibit⋯61, 195
exist⋯56, 65
expect⋯27, 199
explain⋯85, 179
explanation⋯95, 142, 172
explore⋯57, 68, 71, 74, 194
express⋯71, 81, 119, 153, 183

F

facilitate⋯199
fact⋯166, 190
factor⋯102
falsifiability⋯121
fashion⋯111, 119
feasible⋯169
field⋯56, 195
figure⋯126
(List of) Figures⋯208
finally⋯103
find⋯61
find out⋯27
focus⋯74, 159
follow⋯135, 160
form⋯102

further⋯194, 195
Furthermore, ⋯156, 160

G

gather⋯123
genre⋯76
get rid of⋯21
give⋯95
Given that ∼ , ⋯160
Glossary⋯211
goal⋯74
good⋯115
Granted that ∼ , ⋯160
graph⋯126 ∼ 127
(bar) graph⋯127
grounds⋯138
group⋯76
grow⋯57

H

heighten⋯57
(be) held responsible for⋯138
help⋯**144 ∼ 146**, 195
Hence, ⋯135
hint⋯175, 179
hope⋯27, 169, 195, 199
However, ⋯160

I

idea⋯91, 175
ideal⋯115
identify⋯119
illustrate⋯19, 85, 115, 126, 127, 153
illustration⋯115
implement⋯16, 153
imply⋯127, 172, 179
importance⋯166, 195
important⋯71, 166, 183
improve(ment)⋯19

in that…**139 ~ 142**
In the same way, …111
(be) included in…76
increase…57
indicate…81, 119, 126, 127, 132, 179
indispensable…71
induce…138, 190
inevitable…71, 166
infer…172
inferior…150
initiate…61
inquire into…194
insist…40, 41, 61, 81, 132, 169
inspire…138
instance…115
instrument…123
(test) instrument…122
intensify…57
intention…142
interest…56, 57, 183
interpret…85, 172, 179
interpretation…172, 190
Introduction…213
investigate…68, 74, 194
issue…102, 183
(at) issue…65

J
Judging from ~ ,…159
justification…95, 142
justify…179

K
keep ~ in mind…156
key…166
kind…76, 102

L
lack…65

layout…95
lead…135, 138, 190, 199
lie…65
likelihood…169
likely…169
likewise…111
line…119
(in) line with this…158
line graph…127
logical…172, 190

M
maintain…41, 61, 81, 169, 190
major…166
make…68, 85, **144 ~ 146**, 194
manner…111
match with…111
matter…102, 183
measure…123
memorize…27
mention…57, 71, 74, **78 ~ 81**, 99, 119, 156, 166, 169, 183
merit…150
model…115
monitor…123
more…194, 195
moreover…156, 160
Most of all,…166
motive…142
move on…156

N
natural…172, 190
necessary…71, 166
necessity…71
note…**78 ~ 81**, 102, 119, 156, 166
notice…27, 102

252

O

object to…91
objective…74, 142
observation…172, 190, 194
observe…102, 123, 169, 179, 194
obstacle…65
obvious…130, 132
occur…56
occur from…135
occurrence…115
offer…95
opinion…88, 95, 111
(have the same) opinion…88
oppose…91
organize…76
outcome…26, 195
outline…85, 126
Owing to ～…138

P

paper…74
(a few) papers…61
Paraphrasing…226 ～ 232
Part…214
participant…123
(in) particular, …166
Particularly, …166
(show a) passion…57
pay attention…57
perception…172
perfect…115
persist…95
perspective…111, 119, 163
pertaining to this ～…158
pertinent…153
phenomenon…115
pie chart…127
Plagiarism…227
plausible…169

point…102, 156, 163, 166, 183
(on this) point…158
point out…57, 71, 74, **78 ～ 81**, 119, 156, 166
Point-by-Point Organization…107
portray…85
(be) posed…95
position…61, 95, 111, 163
(hold the same) position…88
possibility / possible…**167 ～ 169**
practical…172
predicament…65
predict…27
Preface…209
preferred…150
present…65, 132
presume…172
prevail…56
Prior to ～ , …160
probable…169
problem…**62 ～ 65**, 102
proceed…135
profit…195
promote…138
prompt…190
proof…95
proper…199
propose…119, 175
proposition…91, 175
prove…61, 88, 132, 195
provide…95, 132
provided that…160
provoke…138
publish…68
purpose…74, 142
pursue…68, 194

Q

question…57, **92 ～ 95**, 190
questionable…91

questionnaire form⋯122
Quoting⋯226 ～ 232

R

rational⋯190
rationalize⋯179
reach⋯65
realize⋯27
reason⋯138, 142
reasonable⋯172, 190
rebuff⋯91
recognize⋯25, 27
reduce⋯21
refer to ～⋯81, 99, 166
reference⋯163, 217
reflect⋯153
regard⋯85, 172
(with) regard to⋯163
reject⋯91
related to this ～⋯158
(in) relation to this ～⋯158
relevance⋯183
relevant⋯153, 172, 190
relevant to this⋯158
remain⋯95
remark⋯102
remember⋯27
represent⋯115, 153, 179
research⋯68, 194
researcher⋯61
(in this) respect⋯158 ～ 159
(with) respect to⋯163
(be held) responsible for ～⋯138
result⋯26, 135, 195
(As a) result of ～⋯138
(As a) result,⋯135
reveal⋯132, 179, 195
right⋯172
rise⋯57
risk⋯169

S

same⋯110
sample⋯123
say⋯**78** ～ **81**, 85, 132, 169
see⋯65
seek⋯74
setting⋯56
several studies⋯61
share the same ～⋯88
shortcoming⋯150
show⋯61, 115, 126, 127, 132
Side-by-Side Organization⋯107
significance⋯**69** ～ **71**, 183, 195
signify⋯99, 179
similar⋯110
situation⋯56
skepticism⋯95
so far as⋯163
sort⋯76, 102
speculate⋯179
speculation⋯172
spread⋯57
standpoint⋯61
state⋯81, 85, 169, 183, 190
stipulate⋯99
strength⋯150
stress⋯156, 166
study⋯56, 57, 61, 68, 71, 74, 102, 194, 195
style⋯76, 111, 119
subject⋯123, 163, 183
suggest⋯61, 119, 127, 169, 175, 179
suggestion⋯175, 190
sum up⋯126
summarize⋯126
superior⋯150
supply⋯95, 132
support⋯88

254

suspicion…95
symbolize…153

T

table…124 ~ 127
Table of Contents…207
(List of) Tables…208
take a position against…91
take up…156
talk about…57, 71, 74
target…74
term…99
test instrument…122
Thanks to ~…138
theme…156
then…103
theory…91
Therefore, …160
thesis…74
thoroughly…71
Thus, …135
Title Page…203
Top-Down…103
topic…183
trigger…135, 138
trouble…65
true…88, 111, 153
truth…166
turn down…91
turn to…156
type…76, 102

U

unanswered…65, 95
unarguable…88
understand…27
understanding…172
undertake…68, 74, 194
unfavorable…150
unresolved…95

unsettled…65, 95
unsolved…65
urge…175
urgent…71, 166, 183
use…123, 195
utilize…123, 153

VWZ

valid…88, 111, 190
validate…61, 195
value…195
verification…95
verify…61, 88, 132, 195
view…85, 88, 91, 95
vital…71, 166
weakness…150
Works Cited…217
worth…195
(be) worthy of…183
zoom into…74

〈著者紹介〉

和田 朋子（Tomoko Wada）

1975年生まれ。東京都出身。小学5年から高校入学まで米国ニューヨーク州在住。
東京外国語大学外国語学部英米語学科を卒業後、同大学大学院地域文化研究科博士前期課程修了、後期課程単位習得後満期退学。その後2009年2月に博士（学術）を取得。
慶應義塾高等学校、慶應義塾大学、立教大学等で非常勤講師を務め、現在は工学院大学教育推進機構国際キャリア教育部門准教授および慶應義塾大学非常勤講師。
研究の専門は英語教育学、特に言語テスト論。また、教育ではアカデミック・ライティングに力を入れており、授業のほかに大学でワークショップ等を開くなど、積極的に指導にあたっている。米国で培ったネイティブスピーカーレベルの英語力を活用して英語と日本語の違いを的確にとらえ、わかりやすく説明する授業および添削が人気。

◎所属等
大学英語教育学会会員、日本言語テスト学会会員、ELEC同友会英語教育学会会員。
文部科学省検定教科書執筆者。

［増補改訂版］はじめての英語論文
引ける・使える パターン表現＆文例集

2013年10月25日　第1刷発行
2022年 4月11日　第9刷発行
著　者——和田　朋子
発行者——徳留　慶太郎
発行所——株式会社 すばる舎
　　　　　東京都豊島区東池袋3-9-7　東池袋織本ビル　〒170-0013
　　　　　TEL　03-3981-8651（代表）
　　　　　　　　03-3981-0767（営業部直通）
　　　　　FAX　03-3981-8638
　　　　　振替　00140-7-116563
印　刷——図書印刷 株式会社

落丁・乱丁本はお取り替えいたします
ⓒ Tomoko Wada 2013 Printed in Japan
ISBN978-4-7991-0287-9

基本構成

		表題になる言葉	項目	ページ数の表示・非表示	必要度
まえがき	1	(Title Page)	表紙	U	***
	2	Copyright (or Blank Page)	著作権の明記（または白紙）	U	***
	3	Dedication	献辞	U	*
	4	Epigraph	題辞	U	
	5	Table of Contents	目次	R	***
	6	List of Figures	図の一覧	R	*
	7	List of Tables	表の一覧	R	*
	8	Preface	序文	R	
	9	Acknowledgements	謝辞	R	**
	10	List of Abbreviations	略語の一覧	R	*
	11	Glossary	用語集	R	
	12	Abstract	要約	R	**
本文	13	Introduction	導入	A	***
	14	Part	部	A	*
	15	Chapter	章	A	***
あとがき	16	Endnote	後註	A	
	17	Bibliography	参考文献	A	***
	18	Appendix	付録	A	**

※ページ数の表示・非表示について
U：まえがきのページ数に含むが，ページ番号は記さない。
R：まえがきのページ数に含み，ローマ数字（i, ii, iii…）で記す。
A：本文以降のページ数に含み，アラビア数字（1, 2, 3…）で記す。

※必要度について
*** ：最低限必要な項目。どのような論文でも必ず含める。
 ** ：学位論文（修士号レベル）など，正式な場に提出する論文では必ず含める。
  * ：学位論文（博士号レベル）や論文内容によって必要となる項目。
空欄：論文の内容によって必要となる項目。適宜取捨選択する。